Bernhard Badura

Sprachbarrieren
Zur Soziologie der Kommunikation

Zweite, verbesserte Auflage

problemata
frommann-holzboog I

Herausgeber der Reihe „problemata“: Günther Holzboog
in Gemeinschaft mit den Autoren

Stuttgart-Bad Cannstatt 1973
ISBN 3 7728 0396 2 (Ln.) — ISBN 3 7728 0397 0 (Br.)

Der Autor, Dr. rer. soc. Bernhard Badura (1943), ist Mitglied im Fachbereich Soziologie an der Universität Konstanz und befindet sich gegenwärtig zu einem Forschungsaufenthalt in Harvard/Mass.*

Die vorliegende Untersuchung erörtert Probleme sprachlicher Kommunikation. Sie analysiert den Zusammenhang sprachlicher und nichtsprachlicher Faktoren, die Verständigung zwischen Personen oder Gruppen erschweren oder verhindern. Die Arbeit konzentriert sich daher auf die Beschreibung und Erklärung der Prozesse des Nichtverstehens und Mißverstehens. Eine präzise Analyse restriktiver Bedingungen dialogischer Kommunikation führt zur Ergänzung der traditionellen Wissenssoziologie und Ideologiekritik: zu einer explizit sprachanalytisch und sprachkritisch orientierten Reflexion des Zusammenhangs von Interesse und Sprachverhalten. Überlegungen zu einer „Logik" der Alltagssprache greifen Ansätze der analytischen Philosophie, der Definitionstheorie und der logischen Propädeutik auf. Aspekte einer Theorie der Performanz, die empirische Determinanten in die Analyse faktischen Sprachverhaltens einbezieht, werden mit dem Konzept der Positionsrollensprache verknüpft und analytisch fruchtbar gemacht. Die Richtigkeit der Ergebnisse sowie ihre hermeneutische und praktische Nützlichkeit werden an zahlreichen Beispielen kommunikativer Prozesse illustriert und überprüft, wie wir sie täglich in der Politik, in der Kirche und an den Hochschulen erleben.

The following study is concerned with problems of verbal communication. The author intends to analyze systematically the interrelations of verbal and non-verbal variables, which create difficulties in problem-analysis and problem-solving between persons and groups and/or organizations.

The empirically relevant starting point of this study was the observation that discussions in student teach-ins and academic seminars sometimes turn out to be anarchic and that the conveyance of methodical and political orientations by dialogue only is usually accompanied by serious difficulties. Therefore the major part of the book deals with the description and explanation of processes of nonunderstanding, misunderstanding, and speaking at cross purposes, and with tactic and hermeneutic aspects of dialogues.

The author presents a precise analysis of the restrictive implications of dialogic communication by means of sociolinguistic inquiry concerning the relation of interest, emotion and verbal behavior. This approach allows a contribution and an extension to the traditional sociology of knowledge and criticism of ideology. In addition to that the study contains reflections on the „logic" of ordinary language, on the theory of definition and on the „Logische Propädeutik" (Kamlah/Lorenzen).

Finally the author gives some hints towards a theory of linguistic performance, which could allow an integration of empirical determinants in the inquiry of observable speech. In order to analyze the language of position-roles, he connects the linguistic with the sociological approach.

Inhalt

Vorwort zur 2. Auflage

Sprache, „Werkzeug" und „Barriere"

Der Gedanke vom „Werkzeug"-Charakter der menschlichen Sprache reicht tief in die Geschichte der Philosophie. „Ein Werkzeug ist also auch ein Wort" läßt Platon in seinem „Kratylos" den Sokrates sagen, [1] und auch die moderne Sprachphilosophie teilt seit ihren Anfängen mit dem common sense der Alltagserfahrung diese Auffassung. Mit der Sensibilisierung für dieses Instrument in der Sprachphilosophie, Sprachpsychologie und Sprachsoziologie seit dem Ende des 19. Jahrhunderts einher ging ein zunehmendes Bewußtsein für die Hindernisse und Fallstricke, die die Sprache unserem Denken, Erkennen und Handeln bereiten kann. So liest man schon bei Frege im Vorwort zu seiner „Begriffsschrift": „Wenn es eine Aufgabe der Philosophie ist, die Herrschaft des Wortes über den menschlichen Geist zu brechen, indem sie die Täuschungen aufdeckt, die durch den Sprachgebrauch über die Beziehungen der Begriffe oft fast unvermeidlich entstehen, indem sie den Gedanken von demjenigen befreit, womit ihn allein die Beschaffenheit des sprachlichen Ausdrucksmittels behaftet, so wird meine Begriffsschrift, für diese Zwecke weiter ausgebildet, den Philosophen ein brauchbares Werkzeug werden können. [2] Und von Wittgenstein stammt ja der vielzitierte Satz: „Die Philosophie ist ein Kampf gegen die Verhexung unseres Verstandes durch die Mittel unserer Sprache." [3]

Noch bevor sich also in den Einzelwissenschaften ein breiteres Interesse für Probleme wie „Sprache und Denken" und „Sprache und Interaktion" regte, hatte sich schon in der Sprachphilosophie die Erkenntnis durchgesetzt, daß Sprache nicht nur ein „Werkzeug", ein Mittel bzw. „Medium" für so fundamentale Tätigkeiten wie Denken und Kommunizieren darstellt, sondern daß dieses Mittel sich auch gegen seinen Schöpfer und Verwender kehren kann, indem es ihn „beherrscht" oder „verhext". In ihren Bemühungen gegen derar-

1 Rowohlts Klassiker, Bd. II, S. 130.

2 Frege, G., Begriffsschrift, Halle 1879, wiederherausgegeben von I. Angelelli, Darmstadt 1964, S. VIf.

3 Wittgenstein, L., Philosophische Untersuchungen, 109, Frankfurt 1967.

tige Verselbständigungstendenzen in der Sprache hat die moderne philosophische und sozialwissenschaftliche Sprachkritik das Erbe der traditionellen Vernunft- bzw. Ideologie- und Erkenntniskritik angetreten.
Halten wir also fest, Sprache ist nicht nur „Medium" des Denkens und Kommunizierens, Sprache kann auch diese beiden — für unsere Existenz so eminent wichtigen — Tätigkeiten behindern oder, wie C. F. Graumann es neuerdings ausgedrückt hat: „Zwiefach als Mittel verstanden kann Sprache also auch zwiefach Hindernis werden: Hindernis bei der Realisation von Gedanken, Hindernis bei ihrer Übermittlung." [4]
Für die Entwicklung der modernen Denkpsychologie grundlegende Arbeiten verbinden sich mit Namen wie Piaget, Watson und Wygotski. Die moderne Sprachsoziologie verdankt wesentliche Anregungen den Untersuchungen des Engländers Basil Bernstein, dessen Überlegungen teilweise an die Ergebnisse der oben genannten Autoren anknüpfen, teilweise aber auch ganz unabhängig davon in Anlehnung an Marx, Durkheim und Mead entwickelt wurden. Durch seine bis in die fünfziger Jahre zurückreichenden Arbeiten hat das Thema „Sprachbarrieren" auch in der Bundesrepublik ein zunehmendes Interesse erfahren. Seine Brisanz ergibt sich aus der spezifischen Verflechtung von Datengewinnung, Dateninterpretation und ihrer Verwertung in bildungspolitischen Programmen. Ausgangspunkt der Diskussion hierzulande war die von niemandem bestrittene Tatsache des geringen Schulerfolgs bei Arbeiterkindern und die damit verbundene These, daß Implikationen bestimmter Formen des Sprachgebrauchs das Lernen — unabhängig von jeder angeborenen Intelligenz — verzögern oder erleichtern.
Sprachbarrieren sind aus dieser Perspektive und Problemsicht Bildungsbarrieren, die sich aus einer bestimmten Art des Spracherwerbs und der davon abhängigen Sprachverwendung ergeben. [5] Die hierzu vorgebrachten Argumente lassen sich auf zwei einander ausschließende Positionen zurückführen: auf die der *kulturell-operativen Gleichwertigkeit* verschiedener und die der *kulturell-operativen Überlegenheit* bestimmter sprachlicher Ausdrucksformen. Die akademische Diskussion mündete — in den USA mehr noch als bei uns — in eine teilweise heftig geführte öffentliche Debatte, nachdem das

---

4 „Sprechen und Denken", in: Sprache – Brücke und Hindernis, München 1972, S. 27.
5 Vgl. B. Badura/P. Gross, Art. „Sprachbarrieren", in: Lexikon der Germanistischen Linguistik, Althaus/Henne/Wiegand (eds.), in Vorbereitung.

Scheitern einiger mit großem materiellen und personellen Aufwand durchgeführter Reformprogramme, deren Ziel in der kompensatorischen (Re-)Sozialisation „depravierter“ Negerkinder bestand, auch die Solidität der diesen Programmen zugrundeliegenden wissenschaftlichen Prämissen in Frage stellte. [6]

Das Thema „Sprachbarrieren“ hat allerdings in den vergangenen Jahren eine zugleich umfassende und elementarere Dimension gewonnen: (a) durch eine Integration von Wissenssoziologie, Ideologiekritik und Sprachkritik, (b) durch die Problematisierung des Zusammenhangs von Sprache, Sprechen und Interaktion, (c) durch die Frage nach sprachbedingten Hindernissen im sozialwissenschaftlichen Forschungsprozeß selbst. Elementarer sind diese Ansätze deshalb, weil sie — in expliziter Anknüpfung an Erkenntnisse der Sprachphilosophie und Sprachlogik — grundsätzlichen Bedingungen und Schwierigkeiten sprachlicher Verständigung und in engem Zusammenhang damit sprachbedingten Fallstricken in wissenschaftlichen Analysen nachgehen. [7] Umfassender sind diese Ansätze deshalb, weil sie sich nicht nur vermeintlichen „schichtenspezifischen“ Verständigungsproblemen zuwenden, sondern Verständigungsprobleme allgemeiner als Folgelasten bestimmter Machtverhältnisse, unterschiedlicher kultureller Traditionen, undurchschauter Bedürfnisstrukturen und abweichender Identitätsbildungen interpretieren. [8] In diesem Kontext versteht sich auch die vorliegende Untersuchung.

Für Forschungen zum Gegenstandsbereich Sprachsoziologie ergeben sich aus dieser zweiten Problemperspektive insbesondere die folgenden beiden Maximen: Zu beachten ist erstens, ob und gegebenenfalls wieweit bei einer Beurteilung von Sinn und Unsinn semantischer und syntaktischer Normen die Sprachwertvorstellungen des Beurteilenden selbst grundlos dominieren. Zu beachten ist zweitens, ob und gegebenenfalls in welchem Umfang die subkul-

---

6 Vgl. ebd.

7 Vgl. P. Winch, Understanding a Primitive Society, in: The American Philosophical Quarterly I, 1964, S. 307—24, A. V. Cicourel, Methode und Messung in der Soziologie, Frankfurt 1970, A. D. Grimshaw, Soziolinguistik und Soziologen, in: Badura/Gloy (eds.), Soziologie der Kommunikation, Stuttgart 1972, S. 267—293; G. Gabriel, Definitionen und Interessen, Stuttgart 1972.

8 Laing, R. D., et al., Interpersonelle Wahrnehmung, Frankfurt 1971; P. Watzlawick et al., Menschliche Kommunikation, Bern 1969; B. Badura, Bedürfnisstruktur und politisches System. Macht, Kultur und Kommunikation in „pluralistischen“ Systemen, Stuttgart 1972.

turtypischen Sprachwertvorstellungen des Forschers in sprachsoziologische Untersuchungen unreflektiert eingehen. Diese beiden Maximen ergeben sich aus dem nicht unbegründeten Verdacht, daß Sprachanalysen ohne ausreichende Reflexion sprachlicher und nichtsprachlicher kultureller Regeln — bei Analysierten *und* Analytikern — zu folgenreichen Fehlschlüssen führen können. [9]

Der Abschluß des Manuskripts der vorliegenden Untersuchung fiel in eine Phase geradezu stürmischer Entwicklungen auf dem Gebiet der Sprachsoziologie. Anders noch als zum Ende der sechziger Jahre stehen heute dem sprachsoziologisch Interessierten eine ganze Reihe von Sammelwerken zur Verfügung, die einen guten Überblick über die theoretischen, empirischen und politischen Probleme und Implikationen dieses neuen Gebietes ermöglichen. [10] Mit der Zunahme des Interesses und mit dem Anwachsen der Beiträge zu sprachsoziologischen Fragen stieg natürlich auch das Bedürfnis nach terminologischer Klärung und nach Abgrenzung des Problembereichs. Der folgende Vorschlag von Fishman hierzu aus dem Jahre 1971 läßt in etwa erkennen, wie zentral die unter dem Stichwort „Sprachbarrieren“ angeschnittenen Probleme für das Gebiet insgesamt sind: „... the *sociology of language* is concerned with language varieties as targets, as obstacles and as facilitators, and with the users and uses of language varieties as aspects of *more encompassing social patterns or processes.*“ [11] Neben Bemühungen zur Konsolidierung eines eigenständigen Faches und zur Inventarisierung und Kodifizierung seiner Methoden, Probleme und Ergebnisse von Fishman, Gumperz, Hymes, Kjolseth u. a. fehlt es auch nicht an selbstkritischen Stimmen und an der Aufforderung, die rapide Entwicklung und Etablierung dieser neuen Disziplin wissenssoziologisch zu analysieren vor allem mit Blick auf die hierbei

---

9 Vgl. Labov, W., The Logic of Nonstandard English, in: J. E. Alatis (ed.), Report on the Twentieth Annual Round Table Meeting on Linguistics and Language Studies, Washington 1970, S. 1—43, H. Bühler, Sprachbarrieren und Schulanfang, Weinheim 1972.

10 Fishman, J. A. (ed.), Advances in the Sociology of Language, The Hague 1971; Klein, W./D. Wunderlich (eds.) Aspekte der Soziolinguistik, Frankfurt 1971; Kjolseth, R./F. Sack (eds.), Zur Soziologie der Sprache, Sonderheft 15/1971 der Kölner Zeitschrift für Soziologie und Sozialpsychologie enthält eine ausführliche Bibliographie; Badura/Gloy, Soziologie der Kommunikation ...; Gumperz, J. J./D. Hymes (eds.), Directions in Sociolinguistics, New York 1972.

11 Fishman, Advances ..., S. 9.

wirksamen sozio-ökonomischen Determinanten. Kjolseth vermutet, daß es erhellend sein könnte, „die sprachsoziologische Forschung in einem weltweiten Rahmen als ein Produkt unserer Zeit zu sehen, das nach Antworten u. a. auf folgende Fragen verlangt: ‚Welches sind die Verkäufer und welches die Käufer dieses Produkts?' oder: ‚Repräsentieren die Verkäufer (in einem bestimmten Forschungsbereich oder in einem bestimmten Land) eine Vielzahl konkurrierender Interessen, oder überschneiden diese sich in einer Weise, daß man von einem Oligopol oder Monopol sprechen kann?' Oder, umgekehrt, wenn man Projekte aus dem Bereich Sprachsoziologie als Produkte ansieht, die zum Verkauf (zur Förderung) anstehen: ‚Welche Interessengruppen haben den Markt aufgekauft?'" [12]

Nach diesem zugegeben sehr kurzen Ausflug in die Entwicklungsgeschichte und den gegenwärtigen Stand des Faches „Sprachsoziologie" möchte ich nun einige Bemerkungen zu den mich speziell interessierenden Problemen anfügen. Bei meinem Versuch, auf der Basis der vorliegenden Untersuchung zu einer Neuformulierung der Sprachbarrierenproblematik zu gelangen, ließ ich mich von den folgenden Überlegungen leiten:

1. daß „Sprachbarrieren" als Bestandteil von „Verständigungsproblemen" behandelt und deshalb nur auf der Grundlage einer allgemeinen Theorie der Sozialkommunikation adäquat analysiert und interpretiert werden können,
2. daß das primär linguistische Konzept der Sprachkompetenz hierfür zu einer umfassenderen sprach-soziologischen Konzeption der kommunikativen Kompetenz erweitert werden muß,
3. daß das Problem der „Situierung" von „Sprechakten" unter stärkerem Einbezug von Kontextvariablen (unausgesprochenen Symbolkontexten, nichtsprachlichen Kontexten, motivationalen Kontexten) in Angriff genommen werden sollte,
4. daß im Rahmen der Interaktions- bzw. Dialoganalyse das Problem der Interdependenz sprachlicher und nichtsprachlicher kommunikativer Akte bei der Produktion und Rezeption mehr Beachtung finden sollte.

---

12 Kjolseth, in: ders./Sack, Zur . . ., S. 13. Zur Entwicklung in der Linguistik vgl. P. Eisenberg/H. Haberland, Das Gegenwärtige Interesse an der Linguistik, in: Argument, 14/1972, S. 326—349.

Das Grundproblem des die Sprachsoziologie der sechziger Jahre beherrschenden Bernsteinschen Ansatzes läßt sich in der Frage zusammenfassen: Was sind die für den Prozeß der Vermittlung zwischen sozialstrukturellen Merkmalen und individuellen Formen des Sprachgebrauchs typischen Merkmale? Seine Antwort darauf lautet, ebenso kurz zusammengefaßt: Im Mittelpunkt der Betrachtung derartiger „Übersetzungsmechanismen" hat ein *Repertoire typischer Regeln* zu stehen — Bernstein nennt dieses Repertoire „linguistischer Kode" —, das die Problemlösungsstrategien des einzelnen steuert. [13] Im folgenden soll ein Versuch zur Analyse kommunikativen Handelns vorgestellt werden, der an diesem Grundgedanken Bernsteins (und übrigens auch Oevermanns) festzuhalten sucht, ohne damit seinem Fehler einer gleichsam verdinglichten Form der Sprachbehandlung zu verfallen.

Sprachbarrieren werden dabei — wie schon erwähnt — nicht mehr nur als „Sprach"-Barrieren sondern allgemeiner als Verständigungsprobleme behandelt, die durch Unterschiede in der kommunikativen Kompetenz und im kommunikativen Handeln verschiedener Kommunikanden bedingt sind.

Wie läßt sich nun ein, das kommunikative Handeln und die kommunikativen Fähigkeiten steuerndes Regelrepertoire theoretisch begreifen? Oevermann hatte ja schon — eine Kritik Bierwischs aufgreifend — ausdrücklich darauf verwiesen, daß es sich hierbei um zwei qualitativ verschiedene Regelklassen handeln müsse: um linguistische und außerlinguistische (soziale) Regeln. [14] Im Prozeß des Spracherwerbs erlernt der einzelne ein für ihn typisches Ausdrucksrepertoire, das zu einem überwiegenden Teil wiederum aus subkultur- bzw. gruppentypischen Zeichen und fakultativen Regeln ihrer Verknüpfung einerseits, einem begrenzten Satz obligatorischer Regeln andererseits besteht. [15] Dieses Repertoire verbalen Ausdrucks enthält indessen nicht nur Zeichen und Regeln ihrer möglichen Verknüpfung und Verständigung, sondern auch Regeln zu deren konkreten Verwendung (Situierung). In welchen Situationen welche Zeichen mit welchen Regeln verknüpft und artikuliert werden, hängt nun allerdings noch von einer weiteren Klasse kommunikativer Regeln ab: Regeln der Sprechmotivation. Der Sozialisationsprozeß erschöpft sich nicht im Spracherwerb. Fakultative Regeln der „Sprache" und des „Sprechens" müssen als Teilklasse jener kultureller Regeln begriffen werden, die

13 B. Bernstein, Studien zur sprachlichen Sozialisation, Düsseldorf 1972.
14 Sprache und soziale Herkunft, Frankfurt 1972, S. 336.
15 Vgl. Chomsky, Aspekte der Syntax-Theorie, Frankfurt 1969.

die Bedürfnisse, Aufmerksamkeiten und Verhaltensnormen des einzelnen, d. h. seine Interpretations- und Kommunikationsverhalten insgesamt steuern.

Diese lassen sich formal auf zwei Grundtypen zurückführen:

a) in Situation bzw. bei Problem A handle B,

b) bei Ziel X verwende Strategie Y.

Für eine Analyse kommunikativen Handelns und kommunikativer Fähigkeiten wichtig ist weiter der Grad subjektiver Bewußtheit derartiger Regeln, d. h. die Unterscheidung in bloß *regelhaftes* und in *regelreflektierendes* Handeln. Im Falle regelhaften Handelns unterstellen wir — in der Metasprache des Beobachters — den Handlungen bzw. Reaktionen von Mitmenschen endogene Programme, die den Betreffenden selbst nicht bewußt zur Verfügung stehen. Dies gilt beispielsweise — so Labov — für einen großen Teil grammatischer Regeln: „Die meisten sprachlichen Regeln liegen ... viel tiefer als der Wirkungsbereich der sozialen Korrektur und sind mit keinerlei expliziten sozialen Normen verbunden". [16] Und es gilt vermutlich auch für den überwiegenden Teil nichtsprachlicher kultureller Regeln: „In einem viel größeren Ausmaß, als viele von uns erkennen und jeder von uns zu glauben wünscht, sind wir ‚programmiert' wie Rechenmaschinen, um eingespeiste Daten nach vorgegebenen Instruktionen zu verarbeiten". [17]

Gelingt es der kollektiven oder individuellen Selbstreflexion, die Wirksamkeit einiger dieser Regeln bewußt zu machen und sich dann entsprechend solcher rekonstruierter oder dann auch veränderter kultureller Regeln zu verhalten, dann haben wir es mit regelreflektierendem Handeln zu tun. Die Rekonstruktion von Verhaltensregeln wird aus dieser Perspektive zur Bedingung der Möglichkeit zweckrationalen aber auch mündig-emanzipativem Handelns — allerdings nicht der einzigen Bedingung. [18]

Aus dem eben Gesagten wird insbesondere etwas deutlich: die hochgradige Interdependenz linguistischer und nichtlinguistischer Regeln. Einerseits muß sprachliches Handeln als weitgehend „regelhaftes" Handeln begriffen werden, andererseits ist aber gerade Sprache notwendige Bedingung und wesentliches Instrument zur bewußten Konstruktion komplexer Handlungspro-

---

16 W. Labov, Das Studium der Sprache im sozialen Kontext, in: Klein/Wunderlich, Aspekte ..., S. 122.

17 Laing et al, Interpersonelle ..., S. 21.

18 Vgl. Badura, Bedürfnisstruktur ...

gramme — auch zur Beseitigung oder zur (taktisch-motivierten) Erhaltung sprachbedingter Verständigungsprobleme. Einerseits wird unser Handeln von teilweise tief internalisierten (latenten) Motiven, Bedürfnissen, Interessen und Normen gespeist, andererseits erfolgt ein Großteil der kulturellen Kanalisierung unseres naturgeschichtlichen überlieferten Bedürfnispotentials wie auch der kognitiven Verarbeitung der Umgebung mittels sprachlich verfaßter Deutungsschemata: „Schon bei den primitivsten Triebregungen, Gefühlen und heftigen Gefühlswallungen ist die Urteilstätigkeit mit einbezogen. Denn die Gefühle sind keine autonomen Funktionen, sie erwachsen aus der Bewertung einer Sachlage als gut oder schlecht, ... " [19] Im übrigen gibt die Vielfalt beobachtbarer Lebensformen Anlaß zu der Vermutung, daß dem „generativen" Charakter der Sprache ein gleichermaßen „generativer" Charakter kultureller Regeln korrespondiert, bzw. daß beide, die „Erzeugung" von „Sprachspielen" und die „Erzeugung" von „Lebensformen" einander wechselseitig bedingen. Und gerade darin liegt möglicherweise eine wesentliche Ursache interpersoneller Verständigungsschwierigkeiten. Probleme im Bereich kommunikativen Handelns ergeben sich durch kulturelle Differenzierungen, die ihrerseits wiederum von objektivierten Lebensbedingungen (exogenen Zwängen und Bestandsproblemen) und verselbständigten kulturellen Traditionen abhängen. Kulturelle Heterogenität moderner Gesellschaften erschöpft sich allerdings nicht in (vertikalen) subkulturellen Differenzen zwischen Arbeiterschaft und Mittelschicht. Die Sprachbarrierendiskussion in der Bundesrepublik ist auch gegenwärtig noch zu sehr auf diesen Aspekt fixiert. Diese — zweifellos wirksame — kulturelle Kluft wird, und das sollte künftig nicht mehr übersehen werden, ergänzt und überlagert durch horizontale Differenzen, Berufsrollendifferenzierungen, Bürokratisierungs- und Oligarchisierungstendenzen und auch durch situationsbedingte soziale Distanzen. [20] Ein Hauptanstoß zur Niederschrift der vorliegenden Arbeit lag für mich damals darin, auf die Partikularität und Verkürztheit hinzuweisen, wie sie sich zwangsläufig aus einer Behandlung ausschließlich „schichtenspezifischer" Sprach- und Verständigungsprobleme ergeben muß.
Das bisher Gesagte legt es nun m. E. nahe, Probleme kommunikativer Fähigkeiten und kommunikativen Handelns nicht mehr nur unter dem Gesichtspunkt linguistischer „Kompetenz" und „Performanz" oder als Probleme

19 Urteilsbildung im sozialen Kraftfeld, Göttingen 1953, S. 7.
20 Vgl. Badura, Bedürfnisstruktur ...

„linguistischer Kodes“ alleine, sondern diese vielmehr als Teilprobleme kommunikativer Kompetenz und Interaktion zu behandeln. Grundlegend hierfür ist die Unterscheidung in eine Dekodierungskompetenz (Hermeneutik) und eine Enkodierungskompetenz (Rhetorik). Hinzu tritt als drittes die Fähigkeit zur Transformation „wahrgenommener“ Sachverhalte bzw. „übersandter“ Symbole. Abstrakt gesprochen setzt sich die kommunikative Kompetenz also aus drei zumindest analytisch trennbaren und für bestimmte Problemstellungen vermutlich trennungsbedürftigen Klassen von Regeln zusammen. Diese beziehen sich auf ebenfalls nur analytisch trennbare Teilprozesse endogener Informationsverarbeitung, auf Rezeption, Transformation und Produktion. Solche Prozesse vollziehen sich stets situationsbezogen (synchroner Aspekt), speisen sich aber zugleich auch aus einem „Speicher“, bestehend aus biographisch mehr oder weniger langfristig akkumulierten Wissensvorräten, Ausdrucksrepertoires und Handlungsprogrammen (diachrone Aspekt).

1. Regeln der Perzeption, der Interpretation und der Bewertung kommunikativer Akte oder anderer Sachverhalte steuern in der Form elementarer Deutungsschemata unsere „Aufmerksamkeit“ und unsere „Suche nach Information“ sowie deren Qualifizierung: „In allen Fällen impliziert Erfahrung die Wahrnehmung der Handlung [eines anderen — B.B] *und* ihre Interpretation. Perzeption bedeutet Selektion und Rezeption. Von den vielen Dingen, die wir von dem anderen sehen oder hören, selektieren wir einige wenige für unser Gedächtnis. Für uns höchst bedeutsame Handlungen können für andere trivial sein. Es kommt vor, daß wir für einen bestimmten Moment nicht aufmerksam waren, und wir verpaßten das, was für den anderen seine wichtigste, signifikanteste Geste oder Aussage war . . . “ [21] Regeln der Interpretation steuern die „Auslegung“ der perzipierten Informationen nach Maßgabe unseres jeweils verfügbaren Wissensvorrats, Ausdrucksrepertoires und der jeweiligen Motivkonstellationen, unserer Präferenzen und Vermeidungsstrategien. Und die Wirksamkeit unbewußter Motive kann nie ganz — auch bei sprachsoziologischen Forschungen nicht — ausgeschlossen werden.

2. Regeln der Sprechaktsituierung steuern Form und Maßgabe faktischer Motivartikulation, Motivverschleierung oder Motivverzerrung. Die Analyse hätte sich hier auf typische Formen gesprächstaktisch-persuasiver Verbalstrategien, auf das Problem des „Codeswitching“ und auf Fragen zu konzentrieren, inwiefern bestimmten Sprechweisen Schutzfunktionen zukommt, im

---

21 Laing et al., S. 23.

Hinblick auf die Ich-Identität des einzelnen Sprechers und im Hinblick auf die soziale Identität ganzer Gruppen. Abstrakt gesprochen geht es hierbei um das Problem der kulturellen, personellen und situativen Determinanten von Sprechakten und um das Problem der Funktion von Sprechakten als wesentlichen Elementen kommunikativer bzw. informativer Prozesse. Das Problem gesprächstaktischer „Informationskontrolle", der „Imagebildung", -erhaltung und -bedrohung, das der verbalen Handlungsmotivierung und der „Aufklärung" im Diskurs steht damit in engem Zusammenhang.

3. *Regeln der endogenen Transformation* steuern die Umwandlung eingegangener Informationen und perzipierter kommunikativer Akte in neue „Produkte". Insbesondere an dieser Stelle wäre an biographisch vorstrukturierte Handlungsprogramme und „Speicher" und an Situationsfaktoren wie Angst und Befangenheit zu erinnern aber auch an kombinatorische und assoziative Fähigkeiten, an die Fähigkeit zur „Selbstreflexion" und zum „Fremdverstehen" zur adäquaten Erwartungsantizipation und zum Rollentausch in bezug auf mögliche und faktische Kommunikationspartner und in bezug auf mögliche faktische Kommunikationsthemen.

Zum Abschluß muß noch kurz auf das Problem der „Sinnadäquanz" kommunikativer Akte bzw. das der „intentionalen Gehalte" kommunikativer Prozesse eingegangen werden. Sowohl in diesem Vorwort wie auch in der folgenden Untersuchung ist gelegentlich von „Motiven", „Interessen", „Bedürfnissen" die Rede, obwohl es durchaus ernstzunehmende Ansätze gibt, die auf eine explizite Thematisierung derartiger „intentionaler Gehalte" verzichten zu können glauben. Dies gilt beispielsweise für das Kommunikationsmodell von Watzlawick et al.[22] Demgegenüber ist Oevermann zuzustimmen, wenn er schreibt: „Ohne ein befriedigendes Abgrenzungskriterium liefern zu können, möchten wir vorschlagen, nur jene beobachtbaren Handlungselemente zur Menge der Kommunikationssymbole zu rechnen, die vom ‚Sender' auf Befragen mit einem intendierten kommunikativen Sinn versehen werden können ... Damit werden alle die Handlungs- oder Verhaltenselemente ausgeschlossen, die zwar für den Betrachter einen Informationswert haben können, vom ‚Sender' jedoch entweder zufällig oder reaktiv ins Spiel gebracht worden sind."[23] Bedauerlich ist es allerdings, daß Oevermann bei

22 Vgl. B. Badura, Kommunikative Kompetenz, Dialoghermeneutik und Interaktion, in ders./Gloy, Soziologie ..., S. 246—65.

23 Sprache ..., S. 363.

seinem (kodethoretischen) Ansatz eben dieses Problem der Sinnadäquanz verschiedener Kodes nicht explizit thematisiert.[24] Sowohl „verstehen" wie „produzieren" kommunikativer Akte beruhen auf eigenen geistigen Aktivitäten des betreffenden Kommunikanden, und von daher verliert die Rede vom „passiven Repertoire", (wie sie Oevermann und mit ihm andere Soziolinguisten und Sprachwissenschaftler in bezug auf die linguistische Kompetenz verwenden) in Unterscheidung zum „aktiven Sprachgebrauch" ihren Sinn. Zentral ist die Beachtung intentionaler Gehalte gerade für die unter dem Stichwort „Sprachbarrieren" geführte Diskussion. Ungeheuer hat dies klar und deutlich formuliert: „Wenn man mit kommunikativer Unzuverlässigkeit rechnen muß, dann ist eine Überprüfung des Kommunikationsziels erforderlich."[25] Und auf die Frage, wann denn der „Prozeß des Prüfens" eines „richtigen Verständnisses" kommunikativer Akte beendet ist, antwortet er: „Aus der Kommunikationswirklichkeit läßt sich diese Frage kaum beantworten, weil sich die dort abspielenden Kommunikationen immer über eine nur endliche Dauer erstrecken, und soweit ersichtlich, meistens aus praktischen, nicht aber wegen völliger Klarstellung, d. h. aus kommunikativen Gründen abgebrochen werden."[26]

---

24 Vgl. dazu auch W. Niepold, Sprache und soziale Schicht, Berlin 1971, S. 69.
25 G. Ungeheuer, Sprache als Informationsträger, in: Sprache — Brücke ..., S. 41.
26 ebd., S. 43. Zum Ganzen vgl. auch A. F. Blum/P. McHugh, The Social Ascription of Motives, in: ASR, 26/1971, S. 98—109.

Vorbemerkung

Die Fähigkeit zur Sprache, d. h. die Fähigkeit zur Verständigung mittels komplexer Zeichensysteme, kann ohne Übertreibung zu den wichtigsten Fähigkeiten des Menschen gezählt werden. Dies gilt sowohl im Hinblick auf die Erleichterungen seiner materiellen Reproduktion und die dabei notwendige Koordination und Kooperation in arbeitsteiligen Gesellschaften, wie auch im Hinblick auf seine geistige Entwicklung.

Um so erstaunlicher ist es, daß Soziologen erst verhältnismäßig spät zu einer mehr als oberflächlichen Analyse des Sprachverhaltens und der kommunikativen Fähigkeiten gefunden haben [1]. Die hier vorhandene Lücke wird um so sichtbarer, je mehr eine immer einflußreichere Richtung der modernen Sprachwissenschaft, die Schule der Vertreter der „generativen Grammatik", sich von der Analyse des Zusammenhangs sprachlicher und nichtsprachlicher (sozialer) Variablen abwendet zugunsten einer Analyse der Sprache als eines abstrakten linguistischen Regelsystems (grammatical competence). Hatte die traditionelle Sprachwissenschaft — etwa bei de Saussure und Vendryes — durchaus noch einen Blick für die Sprache als „soziale Tatsache", so heißt es heute bei dem führenden Vertreter der „generativen Grammatik", bei Noam Chomsky: „Der Gegenstand einer linguistischen Theorie ist in erster Linie ein idealer Sprecher-Hörer, der in einer völlig homogenen Sprachgemeinschaft lebt, seine Sprache ausgezeichnet kennt und bei der Anwendung seiner Sprachkenntnis in der aktuellen Rede von solchen grammatisch irrelevanten Bedingungen wie

— begrenztes Gedächtnis
— Zerstreutheit und Verwirrung
— Verschiebung in der Aufmerksamkeit und im Interesse
— Fehler (zufällige oder typische)

nicht affiziert wird." [2]

---

1 Einen gleichermaßen historisch und systematisch orientierten Überblick über die Entwicklung der modernen Sprachsoziologie gibt Thomas Luckmann in seinem „Soziologie der Sprache" betitelten Beitrag zum 2. Band des „Handbuch für empirische Sozialforschung", ed. René König, Stuttgart 1969. Eine ausführliche Bibliographie ist dem Artikel beigefügt.

2 Chomsky, N., Aspekte der Syntaxtheorie, Frankfurt/M. 1969, S. 13.

Dieser Chomsky'sche homo linguisticus abstrahiert in der Tat, wie zu zeigen sein wird, von sprachpsychologisch und sprachsoziologisch interessanten Problemen. Direkter ausgedrückt: Die Theorie der generativen Grammatik enthält keinerlei Hinweis zur Analyse faktischen Sprachverhaltens (Performanz), d. h. beobachtbarer Redepraxis. Sie enthält aber auch keinerlei Hinweis zur Genesis empirischer Kompetenz. Es fehlt also sowohl eine Theorie der empirischen Kompetenz wie auch eine Theorie der empirischen Performanz.

Einen wichtigen sprachsoziologischen Beitrag zur Schließung der von der modernen Sprachtheorie gelassenen Lücken haben in England Basil Bernstein und in Deutschland im Anschluß an Bernstein Ulrich Oevermann geliefert. Beider Arbeiten kreisen um einen speziellen Problembereich, der mit den drei folgenden Fragen umschrieben werden kann:

a) Welche spezifischen Ausprägungen erfährt die sprachliche Retardierung bei Kindern aus der Unterschicht?

b) Welche sozialen Ursachen sind für die schichtspezifischen Formen des Sprachverhaltens verantwortlich?

c) Welche Konsequenzen ergeben sich aus dem schichtspezifischen Sprachverhalten für individuelle Lernprozesse bei Kindern? [3]

Zur Beantwortung dieser Fragen bedienen sich Bernstein und Oevermann der Theorie der „linguistischen Kodes“, die zuerst von Bernstein 1964 in einem programmatischen Aufsatz skizziert [4] und dann von Oevermann angewandt und kritisch weiterentwickelt wurde. [5] „Linguistische Kodes“ werden dabei als Regelsysteme begriffen, die als erlernte Strategien des sprachlichen Verhaltens mit den Strukturbedingungen von Sozialbeziehungen, d. h. von institutionalisierten Rollenerwartungen variieren. Eine klare und knappe Darstellung dieser Theorie liefert Oevermann in seinem Beitrag zum 4. Band der „Gutachten und Studien der Bildungskommission“. Oever-

3 Vgl. Oevermann, U., Schichtspezifische Formen des Sprachverhaltens und ihr Einfluß auf die kognitiven Prozesse, in: Deutscher Bildungsrat. Gutachten und Studien der Bildungskommission, Bd. 4, S. 297.

4 Bernstein, B., Elaborated and Restricted Codes: Their Origins and Some Consequences. Dieser Aufsatz wurde zuerst abgedruckt in: Gumperz, J. J., and Hymes, D., (eds.), The Ethnography of Communication. Am. Anthropologist, Special Publication, 66, No. 6, Part. 2, 1964, S. 55—69.

5 Oevermann, U., Sprache und soziale Herkunft, Berlin 1969.

mann schreibt dort: „In Bernsteins Theorie ist... entscheidend, daß die linguistischen Kodes von den Strukturbedingungen der Sozialbeziehungen abhängig gemacht werden. Sie stellen *symbolische Transformationen* der Sozialbeziehungen dar, die ihrerseits den Ablauf sozialer Interaktionen steuern, indem sie auf der psychologischen Ebene ihnen entsprechende Funktionen der verbalen Planung mobilisieren, die dann zu einer sprachlich vermittelten Realitätsdeutung im Sinne der die Interaktion konstituierenden institutionalisierten Rollenerwartungen führen können." [6]

Die nun folgende Untersuchung geht von einem etwas anderen Ansatz aus. Dies gilt sowohl für die behandelten sprachlichen wie auch für die behandelten nichtsprachlichen Variablen. Untersucht werden soll nicht, ob und wie unterschiedliche linguistische Kodes, die von Kindern unter bestimmten intrafamiliären Rollenkonstellationen erworben werden, Sprachbarrieren zwischen Kindern der Unter- und Mittelschicht wirksam werden lassen, die diese Kinder mit unterschiedlichen Lern- und Erfolgschancen in den Bildungsinstitutionen ausstatten. — Solche schichtspezifischen Sprachdifferenzen werden nur kurz behandelt werden können. — Das folgende ist vielmehr dem Versuch einer systematischen Analyse des Zusammenhangs von Redepraxis (Performanz) und bestimmten Randbedingungen von Kommunikationssituationen gewidmet, eines Zusammenhangs, der dafür verantwortlich gemacht werden kann, daß Angehörigen verschiedener Gruppen oder Organisationen eine gemeinsame Analyse und Problemlösung nicht gelingt — Kommunikation zusammenbricht bzw. gar nicht zustande kommt — weil es ihnen nicht gelingt, sich auf eine „gemeinsame Sprache", d. h. auf verbindliche terminologische Regeln und gemeinsam diskutierbare Behauptungen, zu einigen. Der Wittgensteinsche Zusammenhang von „Sprachspiel" und „Lebensform" wird dabei nicht als Zusammenhang von linguistischem Kode und schichtspezifischer intrafamiliärer Rollenkonstellation operationalisiert, sondern als Zusammenhang von interpretiertem Zeichen und Urteilsrepertoire (Kompetenz) und (Sekundär-)Gruppen bzw. Organisationszugehörigkeit. Dies insbesondere eben deshalb, weil „sprachlich vermittelte Realitätsdeutung" (Oevermann) im Dialog nur als sprachliche Gliederung einer immer schon organisierten, d. h. aber durch Zeichen und Behauptungen interpretierten „Realität" zugänglich sein kann. Folgt man der Rollenklassifikation, wie sie jüngst Uta Gerhardt in ihrer Konstanzer

6 Oevermann, Schichtspezifische Formen ..., S. 332.

Dissertation über „Rollenhandeln und Sozialstruktur" vorgeschlagen hat, dann kann auch gesagt werden, daß die folgende Untersuchung nicht nur dem Sprachverhalten von „Statusrollen" sondern insbesondere dem von „Positionsrollen" gilt. [7] Insofern wird hier der Versuch einer Ergänzung zu Bernstein und Oevermann vorgenommen.

Dies gilt jedoch nicht für die dieser Untersuchung zugrunde gelegte Konzeption der (empirischen) Kompetenz. Diese wird im folgenden nicht im Sinne eines ganzen, schon sehr komplexen, Sprachmodells begriffen, wie es die Theorie der linguistischen Kodes vorschlägt, sondern eher im Sinne der traditionellen (philosophischen) Sprachanalyse, für die die Unterscheidung zwischen Name und Urteil (Satz) wesentlich geblieben ist. [8] In diesem Punkt liegt auch ein entscheidender Unterschied der folgenden Untersuchung gegenüber dem Vorgehen der modernen „Soziolinguistik", die sich vornehmlich mit Kovarianzen sprachlicher und nichtsprachlicher Variablen unterhalb der Wortebene, auf der Ebene der Morpheme und Phoneme, beschäftigt. [9] Nur durch den hier eingeschlagenen Weg kann meines Erachtens der hermeneutische Aspekt der Sprache in eine sozialwissenschaftlich orientierte Sprachanalyse einbezogen werden, und diesen hermeneutischen Aspekt kann gerade eine Analyse von Sprachbarrieren kaum umgehen.

Für ihre motivierende und informierende Unterstützung bei der Durchführung der vorliegenden Arbeit danke ich besonders Herrn Prof. Dr. W. Besson, Herrn Prof. Dr. R. Dahrendorf, Fräulein Ch. Ehrenberg, Herrn G. Gabriel, Herrn Dr. H. Geissner, Frau Dr. U. Gerhardt, Herrn K. Gloy, Herrn Dr. U. Haeberlin, Herrn Prof. Dr. F. Kambartel, Herrn Dr. W. D. Narr, Herrn Dr. C. Rauh, Herrn A. Stöber.

---

7 Gerhardt, U., Rolle und Sozialstruktur, Unveröffentl. Diss., Konstanz 1969, S. 206 ff.

8 Vgl. Kamlah, W. und Lorenzen, P., Logische Propädeutik, Mannheim 1967.

9 Vgl. hierzu, Bright, W. (ed.), Sociolinguistics, Den Haag 1966.

1.0 Zur Einleitung: Mathematische und soziologische Theorie der Kommunikation

Claude E. Shannon gilt neben Norbert Wiener als Begründer der modernen Informationstheorie. Wenn das seinen Überlegungen zugrunde liegende terminologische Gerüst in der von Warren Weaver interpretierten Form [1] zu Beginn dieser Untersuchung kurz vorgestellt wird, so hat dies zwei Gründe. Einmal enthält es Elemente, die für jede Art der Beschäftigung mit Problemen der Kommunikation beachtet werden müssen. Zum zweiten bietet es einen nützlichen Ausgangspunkt für Überlegungen, die der Frage nachzugehen suchen, an welchen Stellen und warum Ergänzungen notwendig sind, damit Probleme berücksichtigt werden können, die einem Soziologen relevant erscheinen, wenn er sich mit Kommunikationsprozessen beschäftigt. Dies wird immer schon unter dem Gesichtspunkt zu geschehen haben, daß sich die vorliegende Untersuchung mit Sprachbarrieren beschäftigt, das heißt mit Verständigungsschwierigkeiten, die bei verbalen Interaktionen auftreten und auf Herrschaft, Spracherziehung und emotive Bindungen zurückgeführt werden können.

Weaver beginnt die Darstellung des Shannonschen Kommunikationssystems mit einem Diagramm, das auch hier wiedergegeben werden soll. (Diagramm I) [2]

Die *Informationsquelle* (information source) wählt eine erwünschte *Botschaft* (message) aus einer Anzahl möglicher Botschaften aus. Diese Botschaft kann aus geschriebenen oder gesprochenen Wörtern bestehen.

Der *Sender* (transmitter) verwandelt diese Botschaft in ein *Signal* (signal), das auf dem Weg über einen *Kommunikationskanal* (communication channel) vom Sender zum *Empfänger* (receiver) gelangt. Im Falle eines Telefongespräches wäre der Kanal ein Draht und das Signal würde aus wechselnden elektrischen Impulsen bestehen. Der Sender wäre eine Apparatur, die die akustischen Signale der Stimme in elektrische Impulse übersetzt. Analoges

1 Shannon, C. E., and Weaver, W., The Mathematical Theory of Communication, Urbana 1949.

2 Shannon/Weaver, Mathematical..., S. 7.

Diagramm I

aus:
Shannon/Weaver, Mathematical . . . , S. 7

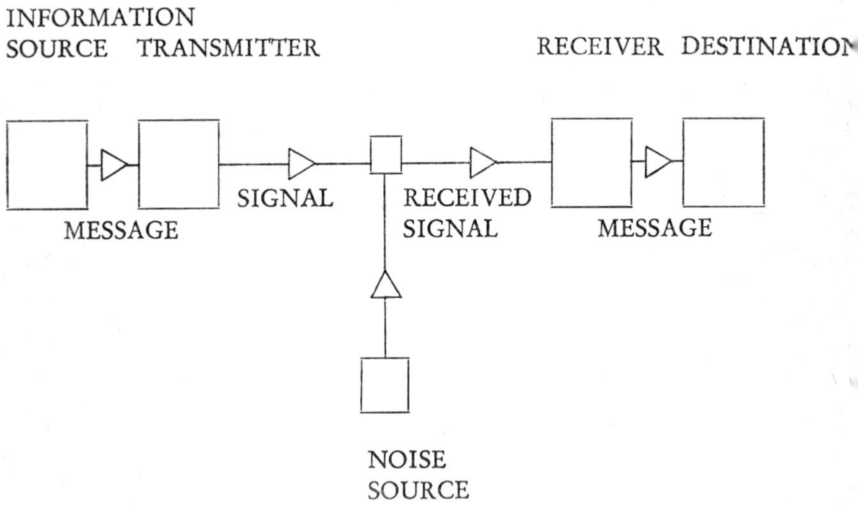

gilt auch für andere Kommunikationsmöglichkeiten wie Telegraphie, Radio, Fernsehen, Gespräche von Angesicht zu Angesicht usw.

Der *Empfänger* ist eine Art umgekehrter Sender, der übermittelte Signale in Botschaften rückverwandelt und diese Botschaften zu ihrem Bestimmungsort weiterleitet.

Für Gesprächssituationen empfiehlt Weaver, das hier dargestellte Kommunikationssystem so zu interpretieren, daß das Gehirn des sendenden Gesprächspartners die Informationsquelle darstellt, und seine Sprechapparatur den Sender. Die Hörorgane des empfangenden Gesprächspartners würden dann dem Empfänger und dessen Hirn schließlich dem Bestimmungsort der Botschaft entsprechen.

Ein Blick auf das Diagramm zeigt, daß noch ein Element des Systems fehlt: die *Geräuschquelle* (noise source). Gewöhnlich treten beim Austausch von Botschaften Störungen auf, wie Geräusche von der Straße, ein spielendes Radio, Knacken in der Telefonleitung usw., die der Sender nicht beabsichtigt oder nicht auszuschalten vermag. All diese Störfaktoren, durch die Signale verzerrt oder unvollständig empfangen werden, rubrizieren Shannon und Weaver in der mathematischen Theorie der Kommunikation als Geräusche (noise).

Die Hauptfragen, auf die diese Theorie Antworten zu geben sucht, sind nach Weaver folgende:

a) Wie läßt sich die Informationsmenge messen?

b) Wie läßt sich die *Kapazität* eines Kommunikationskanals messen?

c) Die vom Sender durchgeführte Umwandlung von Botschaften in Signale macht oft einen *Kodierungsprozeß* erforderlich. Welches sind die charakteristischen Merkmale eines effizienten Kodierungsprozesses? Und — wenn die Kodierung so effizient wie möglich erfolgt — in welchem Umfang kann dann der Kanal Information übertragen?

d) Welches sind die allgemeinen Merkmale von *Geräuschen*? Wie beeinflussen Geräusche die Genauigkeit der Botschaft, die schließlich ihren Bestimmungsort erreicht? Wie lassen sich unerwünschte Wirkungen von Geräuschen vermindern und in welchem Ausmaß können sie eliminiert werden?

e) Wenn ein Signal *kontinuierlich* übertragen wird — wie es bei Gesprächen oder bei Übertragung von Musik der Fall ist — und das Signal nicht aus diskreten Symbolen besteht — wie es bei geschriebener Sprache, Telegraphie usw. — der Fall ist, inwiefern werden dadurch die angeschnittenen Fragen berührt?

Wie dieser Fragenkatalog zeigt, beschäftigt sich die mathematische Theorie der Kommunikation in erster Linie mit technischen Problemen der Nachrichtenübertragung, die man in der Frage zusammenfassen kann: Wie genau können Symbole bei Kommunikationsprozessen übertragen werden? Verständlich wird diese Beschränkung, wenn man sich erinnert, von wem und unter welchen Bedingungen die Theorie entwickelt wurde. Claude E. Shannon ist Mathematiker und Ingenieur und arbeitete in der zweiten Hälfte der vierziger Jahre, während er diese Theorie entwickelte, in den Bell Telephone Laboratories. In seiner Würdigung der Arbeit von Shannon lobt Weaver zwar ihre allgemeine Gültigkeit, fundamentale Relevanz, klassische Einfachheit und Erklärungskraft. Indessen sind gerade auch seine kritischen Bemerkungen für diesen Zusammenhang beachtenswert, weil sie auf zwei wesentliche Mängel aufmerksam machen, die diese Theorie insbesondere für Zwecke einer soziologischen Analyse von Kommunikationsprozessen ergänzungsbedürftig erscheinen lassen.

Die Weaversche Kritik setzt an einem zentralen Punkt an, bei Shannons Begriff der Information. Das Wort Information wird in Shannons Theorie in einem sehr eingeschränkten Sinne gebraucht, entsprechend ihrer theoretischen Herkunft aus der Mathematik und ihrer eingeschränkten praktischen Relevanz allein für den Ingenieur. Information hat hier nämlich nichts mit Bedeutung [3] zu tun, was nach normalem Verständnis des Wortes Information zu erwarten wäre. Shannon ist sich dessen wohl bewußt. Er bemerkt ausdrücklich: "Frequently [?] the messages have meaning; that is they refer to or are correlated according to some system with certain physical or conceptual entities. These semantic aspects of communication are irrelevant to the engineering problem. The significant aspect is that the actual message is one *selected from a set* of possible messages. The system must be designed to operate for each possible selection, not just to one which will actually be choosen since this is unknown at the time of design“ [4]. Information bedeutet

---

3 Probleme der Bedeutung stellen sich für Weaver wie folgt: „The *semantic problems* are conceived with the identity, or satisfactorily close approximation, in the interpretation of meaning by the receiver, as compared with the intended meaning of the sender. This is a very deep and involved situation, even when one deals only with the relatively simpler problems of communicating through speech.“ (ebd., S. 4).

4 Shannon, in: Shannon/Weaver, Mathematical ..., S. 31.

in dieser Konzeption also den Umfang der Freiheit, d. h. hier die Anzahl der Alternativen, über die derjenige verfügt, der eine Botschaft aussendet. Der Umfang der Information wird dementsprechend bei einfachen Fällen durch den Logarithmus der Anzahl möglicher Alternativen ausgedrückt. Die Einheit der Information ist keine Bedeutungseinheit sondern ein „bit“, und das meint eine Wahlsituation, in der genau zwei Alternativen zur Verfügung stehen (two-choice-situation), und deren Berechnung deshalb durch den auf einem binären Zahlensystem basierenden Logarithmus erfolgt [5].

Wenn man sich jetzt einmal vergegenwärtigt, wie Menschen sich tatsächlich verständigen — und zwar in Wissenschaft und Alltag — und in welchem Umfang etwa im Gerichtssaal, bei politischen Gesprächen oder bei jeder Analyse von Texten es oft gerade auf ähnliche oder unterschiedliche Interpretationen einzelner Wörter ankommt, so erscheint Weavers Kritik an der Shannonschen Konzeption der Information berechtigt. Weaver schreibt: "The concept of information developed in this theory seems ... disappointing and bizarre — disappointing because it has nothing to do with meaning and bizarre because it deals not with a single message but rather with the statistical character of a whole ensemble of messages ...“. [6] Auf diese Schwächen einer Informationstheorie, die sich ausschließlich mit der statistischen Struktur der Sprache beschäftigt, ist denn auch wiederholt hingewiesen worden. [7] Unsere gesprochene Sprache hat nämlich neben dem statistisch-

---

5 Für Einzelheiten vgl. Shannon/Weaver, Mathematical ..., S. 9 ff.

6 Weaver, in: Shannon/Weaver, Mathematical ..., S. 27.

7 Vgl. Schmetterer, L., Sprache und Informationstheorie, in: Sprache und Wissenschaft, Göttingen 1960, S. 166: „Es kann nämlich gar kein Zweifel bestehen, daß die Frage nach der statistischen Struktur der Sprache, die man etwa als den nachrichtentechnischen Aspekt der Sprache ansehen kann, nur einen geringen Teil der komplexen Problematik der Sprache umfaßt. Der semantische und pragmatische Aspekt sind gerade für die Sprache von allergrößter Bedeutung“. Vgl. auch Cherry, C., Kommunikationsforschung — eine neue Wissenschaft, Frankfurt/M. 1967, S. 274: „Das Wiener-Shannonsche Maß gilt für eine statistisch stationäre Quelle für Signale (oder beobachtete Ereignisse). Angenommen, wir beobachten mit ungeheuerer Mühe und Geduld die Signale (aber nicht die Personen, die sie tatsächlich hervorbringen) genügend lange, um viele Proben oder Segmente zu erhalten, die wir dann vergleichen und analysieren. Wir könnten auch die verschiedenen Engramm-Wahrscheinlichkeiten abschätzen. Prinzipiell wäre es sodann möglich, aufgrund einer Prüfung dieser Unmenge von Daten über die Signale die syntaktischen Regeln der Sprachquelle (jedoch nicht

syntaktischen noch einen semantischen und pragmatischen Aspekt.[8] Die zentrale Bedeutung des pragmatischen Aspekts — auch für die Wissenschaftssprache — ist gerade in der letzten Zeit wieder in den Vordergrund gerückt worden, nicht zuletzt wahrscheinlich deshalb, weil es allein aus analytischen Gründen sinnvoll sein kann, die syntaktische und semantische Ebene der Sprache von ihrer pragmatischen abzutrennen.[9] Deshalb erscheint es mir

---

in bezug auf Designata) zu formulieren. Derartige Regeln würden uns über die Konstruktion der Sätze Aufschluß geben. Für uns als Beobachter wären die Sätze aber „bedeutungslos", sie würden uns lediglich als Ketten von Wörtern und Zwischenräumen erscheinen. (Die Tatsache, daß wir durch Vergleich mit uns bekannten Sprachgewohnheiten kluge Vermutungen anzustellen vermögen, ist unwesentlich). Wir sind nicht in der Lage, aus diesen Sätzen irgendwelche logischen Schlüsse zu ziehen, die es uns dann beispielsweise ermöglichen, in bezug auf die entsprechenden Designata etwas zu unternehmen. Sie sagen uns nichts über die äußere Welt, woraus wir, als abgesonderte Beobachter, Folgerungen ziehen könnten;" vgl. auch Hörmann, H., Psychologie der Sprache, Berlin 1967, S. 55: „Die Bedeutung der übermittelten Nachricht ist für den Ingenieur irrelevant ... Der Informationsgehalt einer Mitteilung darf nicht verwechselt werden mit der Bedeutung dieser Mitteilung. Wird eine Münze hochgeworfen, so hat die Mitteilung, welche Lage sie nach dem Fall hat, einen ganz bestimmten Informationsgehalt (nämlich 1 bit), gleichgültig, ob diese Lage den Tod eines Menschen oder das Bezahlen einer Schnapsrunde bedeutet."

8 Vgl. hierzu Carnap, R., Introduction to Semantics, Cambridge 1942, S. 9: "If we are analyzing a language, then we are concerned, of course, with expressions. But we need not necessarily also deal with speakers and designata. Although these factors are present whenever language is used, we may abstract from one or both of them in what we intend to say about the language in question. Accordingly, we distinguish three fields of investigation of languages. If in an investigation explicit reference is made to the speaker, or, to put it in more general terms, to the user of language, then we assign it to the field of pragmatics. (Whether in this case reference to designata is made or not makes no difference for this classification). If we abstract from the user of the language and analyze only the expressions and their designata, we are in the field of semantics. And if, finally, we abstract from the designata also and analyze only the relations between the expressions, we are in (logical) syntax. The whole science of language, consisting of the three parts mentioned, is called semiotic."; vgl. auch Morris, Ch., Signs, Language and Behaviour, New York 1955, S. 219 ff.

9 Vgl. hierzu Schmetterer, Sprache ..., S. 167; Kambartel, F., Erfahrung und Struktur, Frankfurt/M. 1968, S. 222—252; Habermas, J., Erkenntnis und Interesse, Frankfurt 1968, S. 234—244; Albert H., Traktat über kritische Vernunft, Tübingen 1968, S. 47—54.

zwingend, daß die von Weaver in Ergänzung zu Shannons syntaktisch-statistischer Theorie der Kommunikation geforderte semantische Theorie der Kommunikation unter starker Berücksichtigung derjeniger Informationen in Angriff genommen werden muß, die in den Sozialwissenschaften zur Verfügung gestellt werden.

Semantische Probleme nehmen wegen ihrer fundamentalen Bedeutung für jede sprachliche Verständigung insbesondere in der Alltagssprache, die ja immer wieder Ausgangspunkt für die Konstruktion künstlicher Sprachen ist, auf den folgenden Seiten einen breiten Raum ein.

Verständigungsprobleme ergeben sich jedoch nicht nur auf der Ebene der Wörter. Die für den pragmatischen Aspekt der Sprache sicherlich wichtigste Ebene ist vielmehr die der Urteile. Es ist dies die Ebene der kognitiven und praktischen Orientierungen, denen jeder mehr oder weniger bewußt folgt, und deren Differenzen zwischen Dialogpartnern zu erheblichen Verständigungsproblemen führen können. Dies ist daher der zweite zentrale Problemkomplex der folgenden Überlegungen. So viel zu den Ergänzungen der mathematischen Theorie der Kommunikation auf sprachlicher Ebene.

Eine soziologische Analyse kommunikativer Prozesse wird sich jedoch nicht mit der Behandlung sprachlicher Variablen zufrieden geben dürfen, sondern auch nach dem Zusammenhang zwischen Redepraxis und gesellschaftlichen Randbedingungen kommunikativer Prozesse fragen müssen. Im folgenden werden insbesondere vier Klassen solcher Randbedingungen berücksichtigt werden:

a) die Kommunikationssituation,

b) das Informationsniveau,

c) der emotive Erlebnishorizont und

d) die Interessen

von Dialogpartnern (vgl. Diagramm II).

Die Analyse der Zusammenhänge zwischen Redepraxis und Randbedingungen wird der Systematik dieser Untersuchung entsprechend in mehreren Anläufen geschehen. Durch die Behandlung makrosoziologischer Faktoren wie sozio-kultureller Differenzierung (Schichtung), Berufsrollen-Differenzierung (Arbeitsteilung) und politischer Differenzierung (Herrschaft) ist zumindest ansatzweise der Versuch unternommen worden, den Zusammenhang zwischen Sprachbarrieren, Sozialisation, Gruppenzugehörigkeiten bzw. Gruppenloyalitäten und der Manipulationsproblematik aufzuzeigen.

Diagramm II

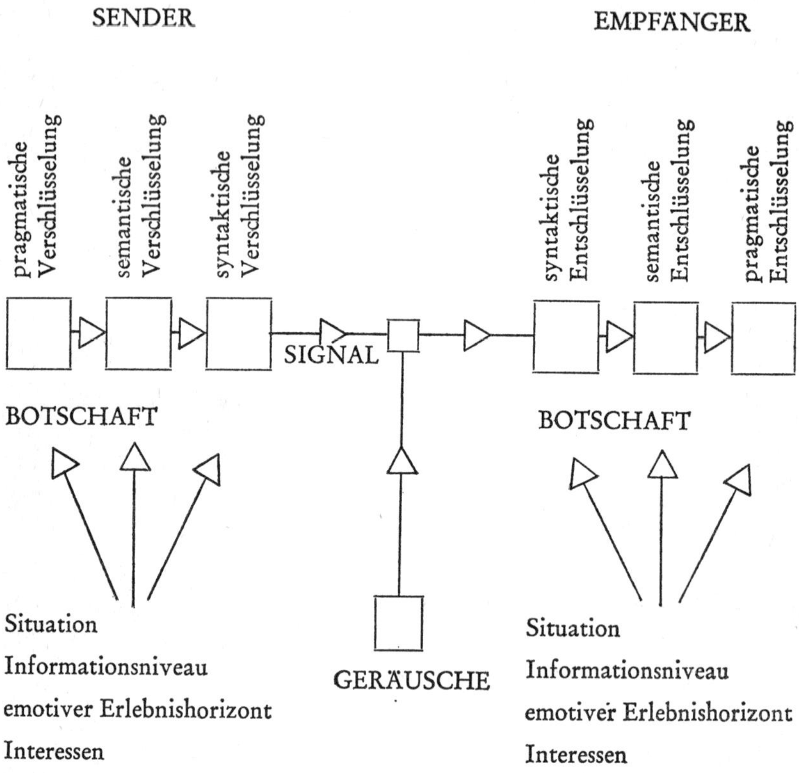
SENDER
EMPFÄNGER
pragmatische Verschlüsselung
semantische Verschlüsselung
syntaktische Verschlüsselung
syntaktische Entschlüsselung
semantische Entschlüsselung
pragmatische Entschlüsselung
SIGNAL
BOTSCHAFT
BOTSCHAFT
Situation
Informationsniveau
emotiver Erlebnishorizont
Interessen
GERÄUSCHE
Situation
Informationsniveau
emotiver Erlebnishorizont
Interessen

Vielleicht sollte hier schon eine Bemerkung zu dem für das folgende grundlegenden Problem von Sprache und Gruppe in Form eines Mannheim-Zitates vorausgeschickt werden: „Nur in einem ganz begrenzten Sinne schafft das Individuum aus sich selbst die Sprech- und Denkweise, die wir ihm zuschreiben. Es spricht die Sprache seiner Gruppe; es denkt in der Art, in der seine Gruppe denkt. Es findet bestimmte Worte und deren Sinn zu seiner Verfügung vor, und diese bestimmen nicht bloß in weitem Ausmaß seinen Zugang zur umgebenden Welt, sondern offenbaren gleichzeitig, von welchem Gesichtspunkt aus und in welchem Handlungszusammenhang Gegenstände bisher für die Gruppe oder das Individuum wahrnehmbar und zugänglich waren." [10] Sprachbarrieren verstanden erstens als Differenzen im Vokabular, bzw. der Symbolkapazität, verstanden zweitens als semantische Differenzen und drittens als Urteilsdifferenzen zwischen Dialogpartnern werden dementsprechend insbesondere unter dem Aspekt von Gruppensprachenbarrieren als *institutionalisierte Sprachbarrieren* untersucht werden müssen.

Die Rede von „Gruppensprachen" darf jedoch nicht darüber hinwegtäuschen, daß es immer einzelne sind, die sprechen. Die analytische Ebene der „Gruppe" — ihrer Mitgliedschaften und Loyalitäten — muß daher in enger Beziehung mit dem individuellen Rollenrepertoire des Sprechenden gesehen werden, wenn es um die Frage geht, warum sich Personen in bestimmten Situationen so ausdrücken, wie sie sich ausdrücken. Diese Frage richtet sich sowohl auf die vom Sprecher beherrschten (formalen) Regeln der Logik und Grammatik, wie auch auf die (inhaltlichen) Regeln der Wortwahl und Wortkomposition, auf Regeln also, die die Prädizierung und Interpretation einzelner Worte und ihre typisierte Verknüpfung zu bestimmten Behauptungen (Urteilen bzw. Sätzen) betreffen.

---

10 Mannheim, K., Ideologie und Utopie, Frankfurt 1952, S. 5; vgl. auch ebd.: „Strenggenommen ist es in der Tat ungenau, wenn man sagt, daß das einzelne Individuum denkt. Korrekter wäre der Hinweis, daß es bloß daran teilnimmt, das weiterzudenken, was andere Menschen vor ihm gedacht haben."; und Strauss, A., Spiegel und Masken, Frankfurt 1968, S. 53: „Nicht immer gibt es eine Trennung zwischen öffentlichen und privaten Rechtfertigungen. Die Rechtfertigung, die ich mir selbst anbiete, ist nicht gänzlich einmalig, individualistisch, oder, ganz allgemein, antisozial. Da ich in sozialisierenden Umgebungen verstehen und urteilen lerne, und da ich die Bewertung meiner Rechtfertigung durch andere Personen in Betracht ziehen muß, weisen meine öffentlichen und privaten Eingeständnisse häufig keine Unterschiede auf."

Für Untersuchungen, die den Determinanten des Sprachverhaltens einzelner nachgehen, muß das im Mannheim-Zitat ausgesprochene analytische Programm demnach in zwei Richtungen erweitert werden:

a) Auf der Ebene des jeweils analysierten, situationsbezogen-aktuellen oder schriftlich (vorab)fixierten bzw. aus Texten rekonstruierten *Sprachverhaltens* müssen Regeln der Wortinterpretation und der Wortverwendung sowie typisierte Behauptungen isoliert werden, die in sprachliche Organisationen (Interpretationen) eingehen.

b) Auf der Ebene der *Randbedingungen* sprachlicher Kommunikation müssen gesellschaftliche, das individuelle Sprachverhalten determinierende, Faktoren isoliert werden, die die *endogenen* kommunikativen Fähigkeiten des einzelnen (Kognition, Emotion, Ausdrucksrepertoire, Information, Interessen) und die auf ihn wirkenden situativ-*exogenen* Anpassungszwänge bestimmen.

Da die auf das Sprech- und Schreibverhalten einzelner wirkenden sozialen Determinanten nur solche sein können, mit denen diese einzelnen im Verlauf ihrer sozialen Biographie in Berührung gekommen sind, scheint es sinnvoll, diese sozialen Determinanten individuellen Sprachverhaltens im Bereich der durchlaufenen Lernmilieus und der dabei erlernten und in bestimmten Situationen zu spielenden Rollen aufzusuchen.

Uta Gerhardt unterscheidet in ihrer Untersuchung über „Rollenhandeln und Sozialstruktur" zwischen „Statusrollen", „Positionsrollen" und „Situationsrollen". [11] Der Terminus „Statusrolle" bezieht sich dabei auf die (zugeschriebenen) Ungleichheiten innerhalb von Gesellschaft, auf die Differenzen der Geschlechtsrollen und auf die durch subkulturelle Differenzierungen (Schichtung) bedingten Ungleichheiten der Teilnahmechancen und Unterschiede der Verhaltensorientierungen. Sprachverhalten, das durch diesen Rollenbereich geprägt ist, wird in der folgenden Untersuchung da berücksichtigt, wo endogene Determinanten des Sprachverhaltens einbezogen werden, die auf subkulturelle Differenzierungen zurückgeführt werden können, die schichtspezifisch sind (4.2). Wo von exogenen Zwängen die Rede ist, betrifft dies den Bereich der „Positionsrollen". Hierunter fallen alle diejenigen Rollen, die der einzelne kraft Mitgliedschaft in bestimmten Organisationen oder Institutionen zu spielen gezwungen ist. Für sein Sprachverhalten bedeutet

---

11 Gerhardt, U., Rollenhandeln ..., S. 206 ff.

dies, daß er sich an deren formellen oder informellen Sprachregelungen und definierten Zielen (Organisationsinteressen) zu orientieren hat. Durch Organisationen (Parteien, Verbände, öffentliche Verwaltung und sonstige organisierte Gruppen) definierte Ziele bzw. Interessen werden auf der Ebene von bestimmten Positionen innerhalb von Organisationen in Ziele und Interessen dieser einzelnen Positionen transformiert. Wenn im folgenden von Interessen die Rede ist, dann sollen darunter insbesondere solche organisierten Interessen verstanden werden. [12]

Von der erwähnten Klassifikation abweichend werden im folgenden noch Zugehörigkeiten zu Großgruppen berücksichtigt, insofern sich diese Großgruppen unterschiedlicher „natürlicher Sprachen" bedienen (Sprachgemeinschaften) oder ihren Mitgliedern, beispielsweise via „Duden", unterschiedliche Regeln der Wortverwendung und Wortinterpretation vorschreiben.

Dies leitet über in den für die vorliegende Untersuchung zentralen Problembereich. Es ist dies der Bereich der sprachlichen Randbedingungen von Kommunikationsprozessen, der Bereich der von bestimmten Gruppen oder Organisationen erwarteten Regeln der Prädizierung, der Interpretation und der Verwendung einzelner Wörter und der Interpretation und Verwendung bestimmter Urteile. In einem übertragenen Sinne könnte man diese Regeln auch Bestandteile einer „Logik" der Alltagssprache nennen. Ihre Analyse entspricht dem Versuch einer Fortsetzung der traditionellen (nicht explizit sprachanalytisch orientieren) Wissenssoziologie mit sprachkritischen Mitteln.

---

12 Ralf Dahrendorf hat im Anschluß an Karl Marx den Versuch unternommen, Interessen nicht an Personen, sondern an Positionen festzumachen. Der Hauptzweck dieses Versuches liegt darin, strukturelle und personale Verhaltenskomponenten präziser zu unterscheiden, zugleich aber auch die möglichen Zusammenhänge zwischen Strukturbedingungen und Verhaltensorientierungen aufzuzeigen. So gesehen lassen sich Positionsinteressen auch als typische Orientierungen verstehen, die durch für Institutionen, Gruppen oder Organisationen typische Relevanzbereiche einerseits und durch deren explizit oder implizit verfolgten (politischen) Ziele andererseits bedingt sind. Vgl. Dahrendorf, R., Class and Class Conflict in Industrial Society, Stanford 1959, S. 173 ff, und Dreitzel, H. P., Die gesellschaftlichen Leiden und das Leiden an der Gesellschaft, Stuttgart 1968, S. 241 ff. Was die Richtung von Positionsinteressen betrifft, so scheint es sinnvoll zwei Komponenten zu unterscheiden: (a) ein defensives Interesse an Erhaltung von Positionen bzw. Organisationen; (b) ein aggressives Interesse an Einflußmaximierung von Positionen bzw. Organisationen.

2.0 Bedeutung

Gesprochene oder geschriebene Worte weisen über sich hinaus. Sie sind Zeichen für etwas (Gegenstände, Ereignisse usw.), das durch sie repräsentiert wird. Der Genfer Sprachwissenschaftler und Zeitgenosse von Emile Durkheim, Ferdinand de Saussure, hat für den Doppelcharakter von Worten als Bedeutungsträger und Bedeutung die Unterscheidung zwischen „Bezeichnung" (signifiant) und „Bezeichnetem" (signifié) eingeführt. [1] Was die Zuordnung von Bezeichnung und Bezeichnetem betrifft, so handelt es sich seiner Meinung nach hierbei um eine prinzipiell „beliebige" Konvention, eine kulturspezifische „Regel", die der einzelne erlernt wie alle anderen sozialen Regeln auch. „Tatsächlich beruht jedes in einer Gesellschaft rezipierte Ausdrucksmittel im Grunde auf einer Kollektivgewohnheit, oder, was auf dasselbe hinauskommt, auf der Konvention". [2] Die moderne Sprachphilosophie und Linguistik sind de Saussure hier gefolgt. So schreiben etwa Kamlah/Lorenzen in ihrer „Logischen Propädeutik": „Die Normierung einer Wissenschaftssprache kann so oder anders erfolgen und ist insofern ‚willkürlich'." [3] Und in einem bekannten Aufsatz des Linguisten Bierwisch heißt es: „Die Beziehung zwischen Signans und Signatum ist konstitutiv für das Sprachzeichen und zugleich konventionell, d. h.: nicht naturgegeben, sondern vereinbart." [4]

Die „Beliebigkeit" eines (Wort-)Zeichens, sein gleichzeitig „konventioneller" Charakter und das Problem der Bedeutungen von Zeichen erfordern einige grundlegende Erläuterungen. Wenn von der Beliebigkeit eines Zeichens gesprochen wird, so ist damit nicht seine Bedeutung gemeint, sondern immer nur der Bedeutungsträger, d. h. bestimmte Lautfolgen oder Schriftzeichen. In der Sprache der „Logischen Propädeutik", in der Bedeutungsträger all-

---

1 de Saussure, F., Grundfragen der allgemeinen Sprachwissenschaft, Berlin 1967, S. 78 f.

2 de Saussure, F., Grundfragen ... S. 80.

3 Kamlah, W., und Lorenzen, P., Logische Propädeutik, Mannheim 1967, S. 38.

4 Bierwisch, M., Strukturalismus. Geschichte, Probleme und Methoden, in: Kursbuch 5, 1966, S. 84.

gemein verständigungsdienliche „Handlungsschemata“ [5] genannt werden, meint dann die Rede von der Beliebigkeit eines Zeichens die Austauschbarkeit eines Handlungsschemas, ohne daß sich dabei an der gemeinten Bedeutung etwas ändert. [6]

Nach Kamlah und Lorenzen, den Autoren der erwähnten „Logischen Propädeutik“, haben die traditionellen Bedeutungstheorien mit Recht sich ganz allgemein mit dem Verhältnis von Zeichen und Bedeutung beschäftigt und das Verhältnis von Wörtern und Bedeutung als einen Spezialfall dieses allgemeinen Verhältnisses aufgefaßt. Kamlah und Lorenzen schreiben: „Zwar geht die Sprache den expliziten ‚Verabredungen‘ nichtsprachlicher Zeichen immer schon voraus. Gleichwohl ist die Relation von Zeichen und Bedeutung den sprachlichen und nichtsprachlichen Zeichen gemeinsam.“ [7] Die traditionellen Bedeutungstheorien waren ihrer Meinung nach auch da im Recht, wo sie bemüht waren, die allgemeine Relation von Zeichen und Bedeutung zu klären: „Bedeuten“ wurde verstanden als zweistelliger Prädikator, ein Zeichen bedeutet „etwas“. Bei de Sausurre kam dies in seiner Unterscheidung zwischen „signifiant“ und „signifié“ zum Ausdruck. Den „Kardinalfehler“ traditioneller Bedeutungstheorien seit Platon — dem möglicherweise auch die de Saussursche Zeichentheorie erliegt — sehen Kamlah und Lorenzen darin, daß Bedeutungen als selbständige Gegenstände aufgefaßt werden, die es zunächst einmal unabhängig von den Zeichen gibt, sei es als „ewige Ideen“, sei es als gedankliche Gebilde in der Seele eines Menschen oder im Verstande eines Gottes. [8]

Wie aber versuchen Kamlah und Lorenzen ihrerseits das Bedeutungsproblem zu bewältigen? Wie schon bemerkt, verstehen sie unter Zeichen verständigungsdienliche Handlungsschemata, die bei gleichbleibender Bedeutung austauschbar sind. So kann beispielsweise der Autofahrer, der eine Richtungsänderung angeben will, einen Arm ausstrecken. Er kann sich dazu

---

5 Kamlah/Lorenzen verwenden den Begriff „Schema“ anders als die an Bartelett und Piaget anschließende Entwicklungspsychologie. Für Kamlah/Lorenzen sind Schemata wiederholbare Handlungsmuster, während etwa Church darunter Konstrukte versteht, mit deren Hilfe sowohl die Organisation der Erfahrung wie auch die der Kognition erklärt werden soll. Vgl. unten Anm. 9, S. 60.

6 Vgl. Kamlah/Lorenzen, Logische ..., S. 96.

7 ebd. S. 94.

8 ebd. S. 95.

jedoch auch eines Winkers bedienen — zumindest in der Schweiz ist dies noch gestattet. Als dritte Möglichkeit kann er zu diesem Zweck auch eine Signalanlage betätigen, die bei Wunsch Richtungsänderungen durch Blinkzeichen anzuzeigen vermag. In diesem Beispiel handelt es sich also um drei verschiedene Zeichen, die untereinander austauschbar sind und in diesem Sinne dasselbe „bedeuten", dasselbe „zu verstehen geben". [9] Eben dieses Verhältnis zwischen Zeichen und Bedeutung besteht auch auf der Ebene der Sprache, auf der ja für Zeichen (Bedeutungsträger) ausschließlich Wörter oder zumindest Teile von Wörtern in Frage kommen. Gleichbedeutende (Wort-)Zeichen werden hier als „synonym" bezeichnet. So sind etwa „cheval" und „Pferd" gleichbedeutend und austauschbar, weil sie dasselbe zu verstehen geben. [10]

Das Problem der Bedeutung nun sehen Kamlah und Lorenzen ganz allgemein im Zusammenhang mit dem Problem der sprachlichen Gliederung unserer Erlebniswelt. Diese Gliederung erfolgt mittels zweier Wortarten: den schon erwähnten „Prädikatoren" und den „Eigennamen". Unter Prädikatoren werden dabei Wörter verstanden, die einem Gegenstand entweder zu- oder abgesprochen werden können: „Was ein ‚Fagott', was eine ‚Rose' ist, was ‚klappern', ‚zeigen' und was ‚groß' ... dies hat unser Gesprächspartner an *Beispielen* und an *Gegenbeispielen* gelernt, d. h. diese Prädikatoren sind ‚exemplarisch eingeführt' worden. Und wir selbst haben diese und zahlreiche andere Prädikatoren im Elternhaus auf eben dieselbe Weise zu gebrauchen gelernt." [11] Indem man Wörter gegebenenfalls durch Hinweis auf Beispiele und Gegenbeispiele korrekt zu gebrauchen lernt, lernt man zugleich Gegenstände kennen und unterscheiden: „ich lerne sie kennen, indem ich sie unterscheiden lerne, und zwar *zugleich* die Wörter und die Instrumente selbst". [12]

„Eigennamen" *benennen* jeweils einen bestimmten Gegenstand: „Ein Prädikator unterscheidet sich als ‚Gemeinname', der vielen Gegenständen zugesprochen werden kann, von einem ‚Eigennamen', der *genau einem* Gegenstand zu eigen ist." [13]

---

9 ebd. S. 96.
10 ebd. S. 97.
11 ebd. S. 29.
12 ebd. S. 29.
13 ebd. S. 31.

Das Bedeutungsproblem stellt sich jetzt so, daß unser Erlebnishorizont einerseits und der erlernte Gebrauch von Prädikatoren und Eigennamen andererseits es erlauben, Gegenstände und Eigenschaften wiederzuerkennen, indem wir ihnen auf korrekte Weise die erlernten Prädikate zusprechen oder sie mit Eigennamen benennen. Verständigung kommt gemäß dieser Theorie dadurch zustande, daß Gesprächspartner sich an die traditionell normierte Lautgestalt von Wörtern halten und ihre sprachlichen Kommunikationsintentionen an dem orientieren, was sprachliche Zeichen aufgrund neu getroffener oder traditioneller „Vereinbarung" zu verstehen geben. Die *Bedeutung* eines Wortes wäre demnach dasjenige, was das Wort aufgrund von expliziter oder übernommener „Vereinbarung" zu verstehen gibt.[14] Was unter einer solchen „Vereinbarung" zu verstehen ist, kann nun wiederum im Anschluß an de Saussure ergänzend hinzugefügt werden. Vereinbart wird eine (kultur- oder gruppen-)spezifische Regel der Prädizierung oder Interpretation eines bestimmten Wortes oder eine (kultur- oder gruppen-)spezifische Regel der Benennung eines bestimmten „Gegenstandes" mit einem bestimmten Eigennamen.

Nach einem kurzen Hinweis auf das Problem der kontextabhängigen Vieldeutigkeit von Wörtern[15] beginnen Kamlah und Lorenzen mit dem, was die eigentlich zentrale Absicht ihrer „Logischen Propädeutik" ist: dem systematischen Aufbau einer Wissenschaftssprache, deren explizit getroffene, exakte Verständigung garantierende Zuordnung von Zeichen und Bezeichnetem und deren explizite Normierung der Zeichenverwendung dann eine sprachkritische Durchleuchtung und Rekonstruktion der Alltagssprache erlauben soll. Diesen Aspekt einer explizit getroffenen, exakte Verständigung garantierenden Vereinbarung der Zuordnung von Zeichen und Bezeichnetem weist die Alltagssprache oft nicht auf. Ebensowenig ist hier die Wahl der Bedeutungsträger völlig beliebig. Denn das Inventar der Alltagssprache ist nicht nur „konstruiert", sondern auch „überkommen". Als Medium der Traditionsvermittlung ist sie zugleich selbst ein wichtiger Teil der Tradition einer Gesellschaft, emotiv belastet wie diese, und vieldeutig je nach der sozialen Situation, in der sie verwendet wird und je nach dem Ziel, das der Benutzer damit verfolgt. Hierauf verweist auch Wein, wenn er von der Alltagssprache sagt: „Hier erfolgt die Zuordnung der Zeichen zum Bezeich-

---

14 ebd. S. 86.
15 ebd. S. 66 ff.

neten durch Sozialleben und Geschichte." [16] Und wenn Bense von der allgemeinen Zeichentheorie (Semiotik) behauptet: „Zeichen ist alles, was zum Zeichen erklärt wird und nur, was zum Zeichen erklärt wird. Jedes beliebige etwas zum Zeichen erklärt werden" [17], so gilt dies eben gerade nicht ohne Einschränkung für die Alltagssprache. Denn hier haben nicht nur Bedeutungen, sondern auch Bedeutungsträger ihren geschichtlichen Hintergrund, der sowohl ihre Interpretation wie auch die Reaktionen auf ihre Verwendung beeinflussen kann.

Am Ende dieses Abschnitts seien noch einige kritische Bemerkungen zur Logischen Propädeutik erlaubt, wie sie von Kamlah und Lorenzen vorgelegt wurde. Die Absicht der Autoren, einen Leitfaden für verständliche Rede auf der Ebene der Wissenschaftssprache zu entwerfen, hat einige wichtige Probleme der Kommunikation unberührt gelassen, die den Bereich der Alltagssprache wie der Wissenschaftssprache gleichermaßen betreffen. Dies nicht nur auf der Ebene des „Satzes" oder des „Urteils", die weiter unten behandelt werden wird, sondern insbesondere auch auf der Wortebene. So muß es auffallen, daß nur verhältnismäßig triviale Beispiele bei der Einführung der Unterscheidung zwischen Prädikatoren und Eigennamen angeführt werden, wie etwa: „Fagott", „Klarinette", „Rose", „Haus", „Goethe", „klappern", „zeigen", „London", „Picasso" usw. Unbeachtet blieb dabei das Problem der emotiven Bedeutung von Wörtern. Unbeachtet blieb auch das Problem der Prädizierung von Wörtern aus dem Bereich der lebenspraktischen und der praktisch-politischen Orientierung. Überhaupt blieb der doch sicherlich für jede Sprachanalyse wichtige Zusammenhang zwischen Redepraxis und situativen Randbedingungen kommunikativer Prozesse ziemlich im Hintergrund. Zwar ist die Rede davon, daß die „Einführung von Prädikatoren", und gemeint ist hier, die Erfindung von Bedeutungsträgern die Gegenständen prädiziert werden können, in den natürlichen Sprachen nicht in wissenschaftlich-theoretischer Absicht erfolgt, sondern im Zusammenhang der „praktischen Weltbemächtigung" [18]. Des weiteren ist die Rede davon, daß der Mensch „handelt", weil er ein „bedürftiges Lebewesen" ist und der Vereinbarung eines Zeichens jeweils ein „Bedürfnis"

---

16 Wein, H., Sprache und Wissenschaft, in: Sprache und Wissenschaft, Göttingen 1960, S. 20.

17 Bense, M., Semiotik, Baden-Baden 1967, S. 9.

18 Kamlah/Lorenzen, Logische ..., S. 38.

oder die „Notwendigkeit“ vorausgeht, sich über etwas zu verständigen.[19] Viel mehr wird jedoch nicht gesagt zu dem fundamentalen Problem der Abhängigkeit der sprachlichen Kommunikationsintentionen von den auch nichtsprachlichen Interessen an Selbstbehauptung und an der Beeinflussung anderer. Wörter haben ihre Geschichte, ihr Schicksal, sowohl was ihre Verwendung innerhalb einer Gesellschaft oder einer Gruppe betrifft als auch hinsichtlich ihrer Verwendung bei einzelnen. Diese ihre Geschichte beeinflußt auch ihre Interpretation. Wegen der Wichtigkeit von sozialen Faktoren für die Bedeutung und Verwendung von Wörtern müssen semantische Probleme immer auch als Probleme einer „sozialen Semantik“ begriffen werden. Ich greife dabei auf einen von Lewis[20] geprägten Terminus zurück, den ich im folgenden zu erläutern versuche.

2.1 Deskriptiv — Emotiv

Als eine erste, für den Bereich der sozialen Semantik wichtige Unterscheidung soll die zwischen „deskriptiver“ und „emotiver“ Bedeutung von Worten eingeführt werden. Hiermit wird zunächst auf den einfachen Tatbestand aufmerksam gemacht, daß Wörter danach unterschieden werden können, inwiefern sie Gegenständen prädiziert werden können oder inwiefern sie darüber hinaus prädizierten Gegenständen einen positiven oder negativen „Beigeschmack“ geben. Diese vorgeschlagene Unterscheidung zwischen deskriptiver und emotiver Bedeutung läßt sich an der Alltagssprache leicht demonstrieren. Wir stellen beispielsweise fest, daß wir für die gleiche Klasse von Gegenständen zwei Arten von Wörtern zur Verfügung haben, anhand derer wir — je nach Intention und Situation — lediglich Gegenstände prädizieren oder sie zugleich emotiv klassifizieren. Man

---

19 ebd. S. 97.

20 Lewis, M., Language in Society, London 1947, S. 229: „There is, as yet, nothing in the field of firsthand investigation of social semantics to compare, for instance, with the elaborate speculative discussions of Cassirer and Urban. But it is inductive investigation of the functioning of language in our own societies that is most needed. Perhaps for the first time we are today in a position to make this investigation; certainly we cannot dispense with it if we are to use communication for the resolution of group conflicts. We need men, and groups of men, who will devote themselves to this new disciplin — the social semantics of language.“

könnte auch sagen, die Unterscheidung zwischen deskriptiver und emotiver Bedeutung verweist auf die Möglichkeit, Gegenstände eher neutral zu bezeichnen oder darüber hinaus affektiv zu kennzeichnen. Hierzu ein paar Beispiele:

deskriptiv	*emotiv*
Fahrrad	Drahtesel
Hund	Köter
Buch	Schwarte
Lampe	Funzel
Hotel	Absteige
Haus	Bruchbude
Pferd	Klepper

Diese Beispielkette ließe sich erweitern.

In der Alltagssprache besteht also die Möglichkeit, anhand von Wörtern nicht nur auf Gegenstände zu verweisen oder sie in Erinnerung zu rufen. Die Alltagssprache erlaubt, zugleich mit der Wahl von Wörtern Gefühle mitzuteilen, die derjenige, der diese Wörter gebraucht, an benannte Gegenstände knüpft. Hierbei ist wichtig, daß die tatsächlichen Gefühle, die durch den Gebrauch bestimmter Wörter in einer bestimmten Gesprächssituation mitgeteilt werden, oft nur bei genauer Beachtung des Tonfalls und der nichtsprachlichen Randbedingungen von Gesprächssituationen analysiert werden können. Beispielsweise ist dem Wort „Drahtesel" allein nicht anzusehen, ob es negativ abwertend oder positiv zärtlich gebraucht wird. Es läßt sich bestenfalls feststellen, daß das Wort „Drahtesel" emotive Ausdrucksnuancen ermöglicht, die in dem Wort „Fahrrad" nicht in gleichem Maße zur Verfügung stehen. Anknüpfend an die obige Beispielliste kann noch eine weitere Überlegung angeschlossen werden. Der Umstand, daß die Sprache für ein und denselben Gegenstand verbale Repräsentanten mit unterschiedlicher emotiver „Färbung" bis hin zu einem neutralen Ausdruck bereitstellt, läßt den Schluß zu, daß Gegenstände nicht eo ipso eine positive, negative oder neutrale Bedeutung „an sich" haben. Emotive Bedeutung wäre also keine Eigenschaft von Gegenständen, sondern abhängig von Intention, Situation und Wortwahl eines Sprechers. [21]

---

21 Ebensowenig wie es sinnvoll erscheint, Gegenständen „an sich" Bedeutungen zuzuordnen, scheint es sinnvoll zu sagen, daß Wörter „an sich", d. h. unabhängig von ihrer Verwendung, Bedeutungen haben. Bedeutungen von Wortzeichen haben einen prinzipiell projektiven Charakter. Dies vermuteten schon Ogden

Wendet man nun den Blick von diesen wenigen und trivialen Beispielen auf weitere Bereiche der Alltagssprache, dann muß das bisher Gesagte um zweierlei modifiziert, bzw. erweitert werden:

a) In der Regel ist eine klare Unterscheidung in deskriptive und emotive Wortbedeutungen, wie sie die Beispielliste nahelegt, nicht möglich. Vielmehr wird man feststellen, daß es sich bei deskriptiver und emotiver Bedeutung eher um Komponenten der meisten alltäglichen Wortgebräuche handelt. Stevenson schreibt dazu: "It is evident that a sign may have both kinds of meaning. That is to say, it may at once have a disposition to affect feelings or attitudes and a disposition to affect cognition... most common words do in fact have a meaning of both sorts..." [22]

b) Ebenso wie es situationsunabhängige, intersubjektive deskriptive Wortbedeutungen gibt — und dies ist eine notwendige Bedingung jeglicher verbaler Kommunikation — gibt es auch situationsunabhängige, intersubjektive emotive Wortbedeutungen als notwendige Bedingung jeglicher kollektiven Suggestion. Meerloo spricht in diesem Zusammen-

---

und Richards in ihrer immer noch lesenswerten Untersuchung über: "The Meaning of Meaning" (1. Aufl. 1923). Auf diese Autoren geht meines Wissens auch die Unterscheidung zwischen deskriptivem (referential) und emotivem (emotive) Wortgebrauch zurück. "Words 'mean' nothing by themselves, although the belief that they did... was once equally universal. It is only when a thinker makes use of them that they stand for anything, or, in one sense have 'meaning'. But besides this referential use which for all reflective, intellectual use of language should be paramount, words have other functions which may be grouped together as emotive..." (Ogden, C. K., and Richards, I. A., The Meaning of Meaning, London 1953, 10. Aufl., S. 9.) Es wird weiter unten jedoch im Sinne der de Saussureschen Unterscheidung zwischen langue und parole notwendig werden, zwischen der erlernten Interpretation und der beobachtbaren tatsächlichen Verwendung eines Wortes und dementsprechend zwischen *semantischen Regeln* und *Wortverwendungsregeln* zu unterscheiden.

22 Stevenson, Ch., L., Ethics and Language, New Haven 1967(11. Aufl.), S. 71. Die Unterscheidung zwischen deskriptiver bzw. indikativer und emotiver bzw. affektiver Bedeutung hat sich allenthalben in der modernen Semantik und Definitionstheorie durchgesetzt. Vgl. als Beispiele so unterschiedliche Autoren wie Robinson, R., Definition, London 1954, S. 139; Boas, G., Symbols and History, in: Anshen, R. N., ed., Language: An Inquiry into its Meaning and Function, New York 1957, S. 103; Hayakawa, S. I., Semantik. Sprache im Denken und Handeln, Darmstadt 1968, S. 102.

hang von „Auslöserwörtern“, deren Wirkung durch einen emotiven Konditionierungsprozeß vorbereitet wird. ”Certain words may so affect our nervous system as to give us a preconditioned physiological and emotional reaction. In this case it has become a catchword or slogan. Now it is a pushbutton that acts as a signal to discharge special feelings and actions ...“ [23]

Was läßt sich nun aber generell zur Entstehung solcher emotiver Bedeutungen von Wörtern sagen? Wie kommt es dazu, daß neben Konventionen im Bereich der deskriptiven Bedeutungen ähnliche Reaktionen im Bereich der emotiven Bedeutungen von Wörtern beobachtet werden können? Welche Konsequenzen haben überhaupt die zwei doch sehr unterschiedlichen Bedeutungskomponenten für die Alltagssprache, oder genauer für diejenigen, die mit ihr — sei es als Sprecher, sei es als Hörer — zu tun haben? Diese Fragen markieren einen Problembereich, der in den folgenden Abschnitten immer wieder behandelt werden wird.

2.2 Öffentlich — Privat

Häufig läßt sich beobachten, daß in Gesprächen immer dann Verständigungsschwierigkeiten auftauchen, wenn ein Gesprächspartner für einen bestimmten Gesprächskreis neuartige oder besonders eigenwillige Behauptungen verteidigt oder wenn jemand bestimmte Erfahrungen mitzuteilen sucht, die nicht in den Bereich alltäglicher Erlebnisse fallen. Solche Verständigungsschwierigkeiten kann man oft daran erkennen, daß der Betreffende von seinen Gesprächspartnern um eine Reihe von Worterläuterungen gebeten wird. Sogenannte

---

23 Meerloo, A. M., Conversation and Communication. A Psychologic Inquiry into Language and Human Relations, New York 1952, S. 97. Vgl. hierzu auch Church, J., Language and the Discovery of Reality, New York 1961, S. 75: ”It is not true that ’names will never hurt me’. One can flay a person very effectively with words. With words, one can make people blush, one can infuriate them, one can turn their stomachs and make their flesh crawl ... “. Church ist der Auffassung, daß dieser „Begriffsrealismus“ aller sprachlichen Kommunikation zugrunde liegt und dies insbesondere im Zusammenhang mit Sozialisationsprozessen (vgl. Church, ebd., S. 76). Daneben spielen emotive Konditionierungen auf bestimmte Bedeutungsträger eine zentrale Rolle im Bereich der Werbung und Propaganda. Vgl. hierzu Platte, H., Werbung oder Information?

„Verständnisfragen“ häufen sich im Unterschied zum sonst eher unproblematischen Gesprächsablauf. Von der Ausdrucksfähigkeit des einzelnen und dem Verständniswillen der übrigen wird es dann abhängen, bislang „private“ Auffassungen und Erfahrungen so zu formulieren, daß andere sie anerkennen oder sogar übernehmen, bzw. daß sie anderen überhaupt zugänglich werden. Aller Verständniswille und alles sprachliche Geschick wären jedoch vergeblich, ständen den Gesprächspartnern nicht neben gemeinsamen Erfahrungen ein gemeinsames Ausdrucksrepertoire in Form eines gemeinsamen Vokabulars zur Verfügung. Beides, gemeinsame Erfahrungen und ein gemeinsames Vokabular, sind notwendige Bedingungen für die Bildung verständigungsdienlicher (gemeinsamer) semantischer Standards. Das Erlernen solcher semantischer Standards oder (Bedeutungs-)Konventionen, wie man im Anschluß an de Saussure auch sagen könnte, ist neben dem Erlernen der syntaktischen Regeln, der Grammatik, ein wichtiger Teil der linguistischen Sozialisation. Berlo spricht in diesem Zusammenhang von „Bedeutungsuniformitäten“ (uniformity in meaning) oder auch von der „öffentlichen Dimension der Bedeutung“ (public dimension of meaning). [24]

Wie andere soziale Verhaltensregeln werden auch Bedeutungsstandards als Regeln der Verknüpfung von Bedeutungsträger und Bedeutung zunächst von denen vermittelt, die frühkindliche Erziehung praktizieren. Diese Lernprozesse betreffen offensichtlich deskriptive und auch emotive Bedeutungen. Im Verlauf unserer linguistischen Sozialisation lernen wir mit der Sprache unserer Erzieher auch positive und negative Einstellungen gegenüber Gegenständen und Personen an Hand der hierfür in der Sprache bereitgestellten Prädikate. Katz erwähnt als Beispiele emotiv-positiver sprachlicher Konditionierung Wörter wie „Mutter“ und „Heim“. Er schreibt: "Emotion clings to words through association with emotional events which are never dissociated from the label itself. The feeling of dependence and affection

---

Zur Sprache moderner Propaganda, in: Sprache im technischen Zeitalter, 7/1963. „Die Sprache der modernen Wahlpropaganda tendiert eindeutig zur Werbung. Sie verliert — hier folgt sie der kommerziellen Reklame — immer mehr an darstellender Funktion. Sie artet zur Formelsprache aus, zum eintönigen Abrakadabra des Werbepsychologen. Ihre Wirksamkeit konzentriert sich immer mehr darauf, Interesse zu erregen und unmittelbare Wirkung zu erzielen. Die moderne Propagandasprache ist im Begriff, zum bloßen Werkzeug von Auslösungsmethoden zu werden.“

24 Berlo, D. K., The Process of Communication, New York 1960, S. 187.

that the child has for his mother saturates the words 'mother' and 'home' and related phrases. These conditioned words can then be used to call up the old emotions ...". [25] Und ebenso wie beim individuellen Lernprozeß des Kindes die Bindung von emotiven Bedeutungen an bestimmte Wörter über emotive Erlebnisse erfolgt, scheinen auch innerhalb von Gruppen oder ganzen Gesellschaften Konventionalisierungen von emotiven Bedeutungen im Zusammenhang mit der Mobilisierung kollektiver Emotionen zu geschehen. Untersuchungen zum Problem der „kulturellen Relativität" der Sprache haben einen Zusammenhang zwischen Konventionalisierung deskriptiver Bedeutungen mit typischen Aktivitäten einer Gruppe aufgedeckt. [26] Untersuchungen der Vorurteilsforschung legen einen Zusammenhang zwischen standardisierter emotiver Besetzung von Worten und den Krisen und Konflikten einer Gesellschaft nahe. [27] Es hat sich gezeigt, daß im Zuge sozialer Spannungen und Konflikte eine Emotionalisierung ursprünglich neutral-deskriptiver Wörter beobachtet werden kann. Neu auftretende Freund-Feind-Gruppierungen lassen auch die Sprache nicht unberührt. So kann es geschehen, daß die bloße Erwähnung bestimmter Wörter wie „Kommunist", „Neger", „Jude" ablehnende Gefühle hervorruft oder Menschen in Furcht und Schrecken versetzt. [28] Als weitere Folge sozialer Konflikte zwischen Gruppen, in deren Verlauf beträchtliche emotionale Potentiale mobilisiert und ausgerichtet werden, kann es dann zur Bildung emotiver Äquivalente

---

25 Katz, D., Psychological Barriers to Communication, in: Schramm, W., ed., Mass Communication, Urbana 1960, S. 324.

26 Vgl. hierzu Sapir, E., Selected Writings of Edward Sapir, ed., Mandelbaum, D. G., Berkeley 1949; Whorf, B. L., Sprache, Denken, Wirklichkeit, Reinbek 1965; Brown, R. W., Studies in Linguistic Relativity, in: Maccoby, E. E., Newcomb, Th. M., Hartley, E. L., (eds.), Readings in Social Psychology, New York 1958.

27 Vgl. Allport, G. W., The Nature of Prejudice, Cambridge/Mass. 1954, S. 187; aber auch Stevenson, Ethics . . ., S. 71: "The growth of emotive and descriptive dispositions in language does not represent two isolated processes. There is a continual interplay. It may happen ..., that a word acquires a laudatory emotive meaning partly because it refers, via its descriptive meaning, to something which people favor. 'Democracy' has a pleasing emotive meaning to most Americans ... But if the two sorts of meaning often grow up together, it does not follow that they must always change together. Either may come to vary while the other remains roughly constant; and it is largely on this account that the distinction between them is important."

28 Vgl. Allport, Nature ..., S. 187.

zu ursprünglich lediglich neutral-deskriptiven Wortbedeutungen kommen, zur Entstehung neuer „Schimpfworte". Hierzu wieder eine kurze Beispielliste: [29]

deskriptiv	*emotiv*
negro	nigger
italian	wop
jew	kike
catholic	papist
irish-american	harp
french-canadian	canuck

Was die Genese von emotiven Besetzungen von Worten ganz allgemein betrifft, so scheint Stevenson sowohl im Bereich der sozialen Biographie einzelner wie auch dem der kollektiven Geschichte von Gruppen recht zu haben, wenn er behauptet: "The emotive meaning of a word is the power that the word acquires, on account of its history in emotional situations, to evoke or directly express attitudes, as distinct from describing or designating them . . ." [30]

Konventionalisierungen von Wortbedeutungen und Bedeutungswandel [31] hängen also offenbar eng zusammen mit dem kollektiven Schicksal von Gruppen. Diachrone Wortbedeutungsanalysen, wie sie von der sogenannten „Begriffsgeschichte" vorgenommen werden, erhalten hierdurch ihren Sinn als Analysen des gedanklich-sprachlichen Niederschlags von Ereignissen und Wandlungen in einer Gesellschaft. [32]

Analog zu dem Zusammenhang zwischen kollektiver Geschichte als dem gemeinsamen Erlebnishorizont und der Redepraxis einer ganzen Gruppe muß sehr wahrscheinlich — wie schon angedeutet — ein Zusammenhang zwischen sozialer Biographie und dem Sprachverhalten einzelner angenommen werden. [33] Je nach unserem „privaten" Erfahrungshorizont können bei-

---

29 Zusammengestellt bei Allport, Nature . . ., S. 181.

30 Stevenson, Ethics . . ., S. 33. Vgl. auch Brown, Words and Things, Glencoe 1958, S. 100.

31 Vgl. hierzu Meillet, A., How Words Change their Meaning, in: Theories of Society, eds. Parsons, T. et al., New York 1965.

32 Als Beispiel für Möglichkeiten und Grenzen diachronischer Wortgebrauchsanalysen vgl. Habermas, J., Strukturwandel der Öffentlichkeit, Neuwied und Berlin 1961.

33 Vgl. Allport, Nature . . ., S. 21 ff.

spielsweise Bezeichnungen bestimmter Gegenstände, der Name einer Stadt, einer Klasse von Menschen usw. von „öffentlichen" Bedeutungsstandards abweichende oder zu ihnen zusätzliche „private" Bedeutungen erhalten, entsprechend den eher neutralen, erfreulichen oder traumatischen Erlebnissen, die unsere Erinnerung mit ihnen verknüpft. Nicht nur semantische Konventionen einer Gruppe bestimmen die Wirkung bestimmter Wörter auf bestimmte Personen und die davon abhängenden Reaktionen auf dieser Wörter. Als intervenierende Variable muß die soziale Biographie und die möglicherweise darin enthaltenen „privaten" Erlebnisse einzelner beachtet werden, aufgrund derer Wörter neben ihren standardisierten „öffentlichen" Bedeutungen mit beliebigen „privaten" Konnotationen verknüpft sein können.

Die folgende Tabelle faßt die bisherigen Unterscheidungen zusammen und gibt damit zugleich die Dimensionen an, innerhalb derer Wortbedeutungsanalysen im Bereich der sozialen Semantik vorgenommen werden können:

	emotiv		*deskriptiv*		
	pos.	neg.	1.	2.	3...
öff. sem. Standards					
priv. Konnotationen					

2.3 Taktisch-persuasiver Wortgebrauch

Im Zusammenhang mit dem, was oben im Anschluß an Berlo die „öffentliche" Bedeutungsdimension von Wörtern genannt wurde, war auch das Problem der linguistischen Sozialisation aufgetaucht. Linguistische Sozialisation war dort vorläufig und unvollständig als Erlernen semantischer Standards einer Gruppe gekennzeichnet worden. Dies verdient noch Erläuterungen, die überführen in das für diesen Abschnitt vorgesehene Problem des taktisch-persuasiven Wortgebrauchs.

Im Bereich der sozialen Semantik kann unter „linguistischer Sozialisation" insbesondere zweierlei verstanden werden:

a) Das Erlernen eines bestimmten Wortschatzes, d. h. das Erlernen bestimmter Bedeutungsträger und der an sie geknüpften Verständigungsmöglichkeiten.

Dieser erste Aspekt linguistisch-semantischer Sozialisation betrifft das terminologische Instrumentarium einer Sprache und das darin enthaltene Ausdrucksrepertoire. Im Sinne dieses Aspektes könnte man auch eine Metapher beim späten Wittgenstein interpretieren. Es heißt dort: „Denk an die Werkzeuge in einem Werkzeugkasten: es ist da ein Hammer, eine Zange, eine Säge, ein Schraubenzieher, ein Maßstab, ein Leimtopf, Leim, Nägel und Schrauben. — So verschieden die Funktionen dieser Gegenstände, so verschieden sind die Funktionen der Wörter. (Und es gibt Ähnlichkeiten hier und dort.)" [34]

b) Daneben muß zur linguistisch-semantischen Sozialisation auch das Erlernen der faktischen Verwendung bestimmter Wörter gerechnet werden, d. h. das Erlernen dessen, welche situativen Randbedingungen welche Wortwahl nahelegen oder nicht nahelegen.

Dieser zweite Aspekt der linguistisch-semantischen Sozialisation auf der Ebene der Wörter betrifft den in bestimmten Gesprächssituationen bei bestimmten Kommunikationspartnern beobachtbaren Prozeß einer bewußt oder unbewußt erfolgenden sprachlichen Planung.

Man könnte den Unterschied zwischen diesen beiden Aspekten auch so formulieren: Das Erlernen des Wortschatzes einer Sprache und der davon abhängenden Ausdrucks- und Verständigungsmöglichkeiten meint das Erlernen dessen, wie der einzelne sich durch allgemein verbreitete (öffentliche) Regeln der Prädizierung bestimmter Wörter und — dort wo eine Prädizierung auf dem Wege über eine Zeigehandlung nicht möglich ist — wie er sich mittels verbreiteter Regeln der Interpretation bestimmter Wörter verständlich machen kann. Gegenüber diesem Erlernen der *semantischen Regeln* einer Sprache meint der zweite Aspekt das Erlernen von *Wortverwendungsregeln,* von Regeln also, die die faktische Auswahl aus vorhandenen Ausdrucksalternativen steuern. Hierbei handelt es sich um Regeln der (von Personen oder Gruppen) bevorzugten Verwendung oder Vermeidung von Wörtern.

---

34 Wittgenstein, L., Philosophische Untersuchungen, Frankfurt/M. 1967, S. 18.

Neben dieser ersten Unterscheidung zwischen Wortbedeutung bzw. Wortgebrauch einerseits und Wortverwendung andererseits ist auch eine zweite für das folgende von Wichtigkeit. Auch dabei handelt es sich um eine Unterscheidung, die in der Literatur oft nicht mit ausreichender Deutlichkeit behandelt wird. Gemeint ist eine Unterscheidung der sprachlichen Kommunikationsintentionen von den nichtverbalisierten Kommunikationsinteressen.

a) Mit *sprachlichen Kommunikationsintentionen* ist hier dasjenige gemeint, was Kommunikationspartner aufgrund der in einer Sprache vorhandenen Ausdrucksalternativen einander mitzuteilen beabsichtigen.

b) Unter *nichtverbalisierten (d. h. unausgesprochenen) Kommunikationsinteressen* soll hier das verstanden werden, was Kommunikationspartner durch sprachliche und nichtsprachliche Mittel bei dem jeweiligen Zuhörer zu bewirken beabsichtigen.

Was ganz allgemein das Verhältnis von unausgesprochenen Kommunikationsinteressen zu sprachlichen Kommunikationsintentionen betrifft, so dürfte es schwierig, wenn nicht unmöglich sein, sprachliche Kommunikationsprozesse aufzuzeigen, die nicht in Abhängigkeit von bestimmten, mehr oder weniger bewußten, nichtverbalisierten Interessen der Kommunikationspartner stattfinden. Bei der Betrachtung jeweils konkreter Kommunikationsprozesse wird die Analyse sowohl der spezifischen Kommunikationsintentionen auf der Ebene der Sprache wie auch der nichtverbalisierten Kommunikationsinteressen in engem Zusammenhang mit einer Analyse des Rollenrepertoires (Rollenklassen — Rolleninteressen) der jeweiligen Kommunikationspartner und weiterer für Gespräche relevanter Randbedingungen der Kommunikationssituation erfolgen müssen. [35]

Strawson hat in seinem berühmten Aufsatz "On Referring" die Wichtigkeit von sozialen Faktoren für die Analyse semantischer Probleme bei Kommunikationsprozessen erkannt. Sie tauchen bei ihm da auf, wo er vom „Zusammenhang" einer Äußerung spricht. Unter Zusammenhang versteht

35 Hans Peter Dreitzel hat neuerdings eine umfangreiche Untersuchung über den Begriff der Rolle vorgelegt, in der auch die Analyse der Interaktionssituation breiten Raum einnimmt. Vgl. Dreitzel, H. P., Die gesellschaftlichen Leiden und das Leiden an der Gesellschaft, Stuttgart 1968, S. 105—156. Vgl. hierzu auch unten S. 163 ff.

er „die Zeit, den Ort, die Situation, die Identität des Sprechenden, die Gegenstände, auf die sich das Interesse unmittelbar konzentriert, und die persönliche Vorgeschichte des Sprechenden ebenso wie die des Angesprochenen". [36]

Erinnert man sich an die getroffene Unterscheidung zwischen Bedeutung und faktischer Verwendung von Wörtern, so kann nun gesagt werden, daß sowohl die Wahl des Bedeutungsträgers wie auch seine Interpretation durch Kommunikationspartner zunächst von zweierlei abhängt, nämlich (a) von dem, was er sprachlich mitzuteilen beabsichtigt und aufgrund seiner individuellen Ausdrucksfähigkeiten mitzuteilen imstande ist und (b) dem, welche nichtverbalisierten Interessen er dabei verfolgt. (c) Weiter wird die faktische Wortwahl beim Schreiben wie beim Sprechen insbesondere davon abhängen, an welchen Leser(kreis) oder welche Zuhörer(schaft) der Schreibende bzw. Sprechende sich wendet, und schließlich (d) davon, welche Wörter er aufgrund seiner Biographie und seiner Gruppenloyalitäten besonders häufig verwenden oder vermeiden möchte, oder welche Wörter er — sei es aus endogenen psychischen oder exogenen sozialen Zwängen — zu verwenden oder zu vermeiden gezwungen ist.

Mit einigen Beispielen dafür, wie, unter Einbeziehung der erwähnten Bedingungen für Wortverwendungen, Wortverwendungsregeln [37] bzw. -maximen aussehen könnten, sollen diese terminologischen Überlegungen abgebrochen werden.

> „Wenn Du einem Neger begegnest und ihn um eine Auskunft bitten willst, verwende nicht das Wort ‚nigger'" (er könnte sonst beleidigt sein, die Antwort verweigern oder Dein Sprachverhalten auf andere Art negativ sanktionieren).

---

36 Strawson, P. F., Bedeuten (On Referring), in: Sprache und Analysis, ed. Bubner, R. Göttingen 1968, (S. 63—95), S. 85.

37 Grundlegendes zum Begriff der „Regel" und zur Analyse des Sprachgebrauchs „einer Regel folgen" findet sich bei Peter Winch im Anschluß an einige hierfür wichtige Stellen beim späten Wittgenstein. Vgl. Winch, P., Die Idee der Sozialwissenschaft u. ihr Verhältnis zur Philosophie, Frankfurt/M., 1966, S. 36—86. Winch untersucht Grundlagen für eine allgemeine sozialwissenschaftliche Handlungstheorie auf methodologischer Ebene. Seine eindringlichen Analysen dürfen zu dem Bedeutendsten gerechnet werden, was auf diesem Gebiet in den letzten Jahren erschienen ist.

Oder einfacher:

„Willst Du einen Neger provozieren, verwende das Wort ‚nigger'."

Oder: „Beabsichtigst Du in einem Examen gut abzuschneiden, verwende viele Fachtermini."

Oder: „Verwende beim Essen mit Angehörigen der Mittelschicht keine Begriffe aus der Fäkalsphäre, Du wirst sonst nicht mehr zu Tisch gebeten."

Oder: „Wenn Dir an der Zuneigung von Hochschullehrer X etwas liegt, rede ihn nicht einfach mit ‚Herr X' an, sondern sage bei ihm stets ‚Herr Professor X'."

Usw.

Es muß noch auf eine Schwierigkeit eingegangen werden, die ebenso zum Zentrum der in dieser Untersuchung behandelten Probleme führt. Die Rede von der Wortverwendung und den damit in bestimmten Situationen verfolgbaren Intentionen offenbart erst dann ihre volle Problematik, wenn man sich die Vieldeutigkeit sehr vieler — und oft gerade der häufig verwendeten — Wörter bewußt macht. Hans Glinz unterscheidet zu diesem Zwecke, wie de Saussure zwischen signifiant und signifié, zwischen „Wortkörper" und „Wortinhalt". Der Wortkörper, so schreibt er, „kann rein äußerlich nachgeahmt werden, auch von einem Papagei", der Wortinhalt dagegen muß durch eigene kognitive Aktivität „nachgeschaffen" werden.[38] Und dieser Vorgang des „Nachschaffens" kann bei dem gleichen Wortkörper bei verschiedenen Personen eben sehr unterschiedlich ausfallen. Nun erlernen wir ja, wie schon gesagt, im Verlauf der linguistischen Sozialisation nicht nur Wortkörper, sondern auch dazu gehörende Standardisierungen der Wortinhalte. Eben dies war gemeint, wenn oben von der „öffentlichen" Dimension von Bedeutungen, von „semantischen Standards" die Rede war.

Der Umstand aber, daß es Bedeutungsuniformitäten gibt, darf andererseits nicht darüber hinwegtäuschen, daß sich nicht nur zwischen unterschiedlichen „Sprachgemeinschaften", zwischen Großgruppen also, die auch unterschiedliche Wortkörper gebrauchen, unterschiedliche Standardisierungen von Wort-

---

38 Glinz, H., Sprachwissenschaftliche Voraussetzungen für die Arbeit des Didaktikers und Pädagogen, Sonderdruck der Zeitschrift für Pädagogik, Weinheim 1968, S. 210.

inhalten nachweisen lassen.[39] Differenzen zwischen semantischen Standardisierungen, oder einfacher: semantische Differenzen, finden sich auch innerhalb von Sprachgemeinschaften, innerhalb von Gesellschaften, die sich der gleichen natürlichen Sprache bedienen, und zwischen Gruppen von Menschen. Die Alltagserfahrung sprachlicher Mißverständnisse ist hierfür ein sicherlich jedem zugänglicher Beleg.

Durch semantische Differenzen bedingte Mißverständnisse dürften weniger im Zusammenhang mit Worten wie „Neger“ und „nigger“, „Professor“ oder bei Worten aus der Fäkalsphäre auftreten. Derartige Mißverständnisse werden sich vielmehr vermutlich beim Gebrauch von Wörtern ergeben, die dem Bereich der kulturell-normativen Orientierung von Gruppen entstammen. Hier wären Wörter wie „Freiheit“, „Gleichheit“, „Gerechtigkeit“, „Selbstbestimmung“ und „Demokratie“ zu nennen. Es sind dies Wörter, die zwar nicht erst in der „Aufklärung“ geprägt wurden, die aber doch spätestens in ihrem Verlauf jene emotiv-positive Besetzung angenommen haben, die sich vielfach bis heute erhalten hat[40] und deren emotiv-positive Konventionalisierung so verbreitet ist, daß kaum eine der miteinander konkurrierenden großen politischen Strömungen auf ihre Verwendung verzichten zu können glaubt. Koppelmann bemerkt in einer Untersuchung über den Zusammenhang von Sprache und Nationalismus: „Sachlich ist es gleichgültig, ob man ein politisches System demokratisch oder freiheitlich nennen will oder nicht. Taktisch ist es aber außerordentlich wichtig, einen beliebten Namen auf das anwenden zu können, was man verficht. Daher hat auch nie und nirgends eine Partei gesagt, daß sie gegen die Freiheit wäre ...“[41]
Wie im Anschluß an die hierfür grundlegende Arbeit von Stevenson gezeigt werden wird, handelt es sich beim taktisch-persuasiven Wortgebrauch um eine intendierte, interessenabhängige Ausbeutung des Potentials eben solcher konventionalisierter und weit verbreiteter emotiver Wortbedeutungen.

Taktisch-persuasiver Wortgebrauch beruht auf einem Mechanismus, für den Stevenson den Terminus „persuasive Definition“ (persuasive definition)

---

39 Darin liegt ein Hauptproblem von Übersetzungen von einer natürlichen Sprache in eine andere. Vgl. hierzu Casagrande, J. B., The Ends of Translation, in: Intern. Journ. of American Linguistics, 20/4, 1954, S. 335—340.

40 Vgl. Dieckmann, W., Information oder Überredung. Zum Wortgebrauch der politischen Werbung in Deutschland seit der Französischen Revolution, Marburg 1964.

41 Koppelmann, H. L., Nation, Sprache und Nationalismus, Leiden 1956, S. 18.

eingeführt hat.[42] Die zur Beschreibung dieses Mechanismus wichtige Unterscheidung zwischen deskriptiver und emotiver Wortbedeutung wurde schon erläutert. Um eine persuasive Definition durchführen zu können, müssen Wörter zur Verfügung stehen, die

a) allgemein verbreitet sind,

b) eine vage deskriptive Bedeutung und

c) eine allgemein verbreitete intensive emotive Bedeutung besitzen.

Bei einer persuasiven Definition wird nun so verfahren, daß die deskriptive Bedeutung eines Wortes geändert wird, ohne daß man dabei die intensiv positive bzw. negative emotive Bedeutung antastet. Die Änderung der deskriptiven Bedeutung sieht gewöhnlich so aus, daß ein allgemein verwendeter, aber vager Begriff innerhalb seiner unscharfen Grenzen präzisiert wird.[43] Bejerholm und Hornig verallgemeinern in einer sprachanalytischen Untersuchung dieses Verfahren. Eine persuasive Definition liegt danach immer dann vor, wenn emotive Bedeutungen von Wörtern auf neue deskriptive Bedeutungen übertragen werden.[44] Wichtig ist hierbei, daß emotive Bedeutungen an Wortkörper gebunden sind und nicht an Wortinhalte. Der emotiv besetzte Wortkörper darf sich daher bei einer persuasiven Definition nicht ändern. In der Sprache der Definitionstheorie würde das so aussehen: Der Terminus T (definiendum) hat die bisherigen Bedeutungen a (definiens deskriptiv) und b (definiens emotiv). Die persuasive Definition behält bei: T (definiendum) und b (definiens emotiv). Ausgetauscht wird das Definitionselement a (definiens deskriptiv) zugunsten c (definiens deskriptiv). Hierzu einige Beispiele im Exkurs.

---

42 Stevenson, Ethics..., S. 210 ff.

43 Stevenson, Ethics..., S. 210. Vgl. auch S. 227: "The effect of any persuasive statement lies in the *combined* use of both emotive and descriptive meanings... For when emotive meaning praises and condemns, descriptive meaning must indicate the object on which praise or condemnation is *bestowed*. With both sorts of meaning, acting together, the persuasion will lack either force or direction. Although a persuasive statement need not give new information about any object. The verbal form of the statement which combines the meanings is not of great consequence. All that is required, for persuasion, is that the meanings are combined by some device or another."

44 Bejerholm, C., und Hornig, G., Wort und Handlung. Untersuchungen zur analytischen Religionsphilosophie, Gütersloh 1966, S. 90.

Stevenson untersucht den Mechanismus der persuasiven Definition im Zusammenhang mit Wörtern aus dem Bereich der Ethik wie „gut“, „richtig“, „Pflicht“ und „sollen“. Diese erfüllen nach seiner Meinung in der Alltagssprache die angegebenen Bedingungen. Sie sind allgemein im Gebrauch und besitzen im Bereich der Wertvorstellungen eine unscharfe Bedeutung. Sind einmal Handlungen durch Worte wie „gut“, „richtig“, „pflichtgemäß“ gekennzeichnet, so dient das weniger ihrer Beschreibung als vielmehr dem Zweck, durch die emotiv-positiv besetzten Wörter dem Hörer eine positive Einstellung zu beschriebenen Handlungen zu suggerieren.[45] Damit ist zugleich der Zweck persuasiver Definitionen angegeben. Stevenson schreibt dazu: ”When people learn to call something by a name rich in emotive meaning, they more readily admire it; and when they learn not to call it by such a name, they less readily admire it.“[46] Die persuasive Definition nützt diesen Umstand aus. Mit ihrer Hilfe versucht der Sprecher, durch eine Veränderung des Wortinhalts der von ihm benutzten Wörter das Verhalten der Angesprochenen zu verändern (”to change attitudes by changing names“).[47]

Stevensons Analysen zum Problem der persuasiven Definition decken einen sowohl sprachpsychologisch wie sprachsoziologisch wichtigen Mechanismus auf. Manipulative Ausbeutung der alltagssprachlichen Ungenauigkeiten und des in der Alltagssprache angesammelten Potentials emotiver Besetzungen von Worten kann bei allen verbalen Taktiken im Interesse der Sprechenden bzw. Schreibenden eingesetzt werden. Politische Redner wie religiöse Fanatiker, Herausgeber von Büchern und Planer von politischen oder kommerziellen Reklamefeldzügen bedienen sich ihrer gleichermaßen.[48] Hier kommt

---

45 Stevenson, Ethics ..., S. 33.

46 Stevenson, Ethics ..., S. 211 ff.

47 Stevenson, Ethics ..., S. 212.

48 Stevenson, Ethics ..., S. 35: ”An ethical term may accordingly be adapted to a broad range of uses, sometimes for purposes that will easily bear examination and sometimes not. We all know that a politician who promises 'justice' commits himself to very little, unless he defines the term before the election. The term good is no less flexible ...“ Vgl. hierzu auch Deutsch, K. W. Symbols of Political Community, in: Bryson et al., eds., Symbols of Society, New York 1955, S. 25: ”Men have been willing to fight and die for their independence and security, that is for the independence and security of groups of which they formed a part or with which they had come to identify themselves. But

es auf die geschickte Wahl der situativ- bzw. öffentlichkeitswirksamen Wörter an.

Auf manipulative Möglichkeiten, wie sie die Sprache durch ihr Potential ebenso vieldeutiger wie emotiv-positiv bewerteter Wortgebräuche eröffnet, hat Friedrich Kambartel am Beispiel der von ihm sogenannten „Bildungssprache“ hingewiesen.[49] Hieran wird deutlich, daß nicht nur die Alltagssprache Material für taktisch-persuasive Wortgebräuche bereitstellt. Auch Wörter aus dem Bereich der wissenschaftlichen Redepraxis können zu diesem Zwecke ausgebeutet werden. Gleichzeitig leitet dieser Abschnitt über in den unten noch ausführlicher behandelten Bereich der gruppentypischen Wortverwendung.

Die von Kambartel so bezeichnete „Bildungssprache“ erfüllt die für persuasive Wortgebräuche notwendigen Voraussetzungen der allgemeinen Verbreitung, intensiven emotiven Besetzung und Vagheit. Kambartel versteht darunter Wörter, die

a) vergangenen oder gegenwärtigen wissenschaftlichen Diskussionen entnommen und über das Bildungssystem der Schulen und Universitäten — daher „Bildungssprache“ — vermittelt, einer Vielzahl von Personen geläufig sind;

b) auch in ihrer wissenschaftlichen Verwendung weitgehend ohne eindeutige, explizit vereinbarte Bestimmung bleiben;

---

the terms, 'independence' and 'security', could tell neither them nor us just whose independence is to be defended, for whom, and for what purpose.“ Hermann Lübbe unterscheidet in seiner Bochumer Antrittsvorlesung die Sprache „totalitärer“ und „liberaler“ Ideologien: „Von der Sprache totalitärer Ideologien unterscheidet sich die politische Sprache liberaler Systeme pluralistisch-ideologischer Struktur natürlich im Inhalt und auch im geringeren Grad ihrer propagandistisch-politischen Kontrolliertheit. Ihre doktrinären Manifestationen sind daher weniger monolitisch gefaßt und nach differenten politischen Gruppen mannigfach variiert. Aber strukturell funktioniert sie nicht anders, und selbst der Grad ihrer sozialen Penetranz ist kaum geringer. Soziale Marktwirtschaft, Abendland, der Westen, Gemeinschaft der freien Völker, Sozialstaat, Pluralismus, Gemeinsinn, Gemeinschaftsglaube — auch bei den Wörtern dieser Reihe ist die definitorische Präzision gering, und der Informationswert der aus ihnen gebildeten Aussagen bleibt unbefriedigend.“

49 Ich beziehe mich hier auf ein unveröffentlichtes Manuskript von Vorträgen, die Friedrich Kambartel im Wintersemester 68/69 an der Universität Konstanz gehalten hat.

c) nicht der Verständigung dienen, sondern vielmehr gruppen- bzw. schulbezogene Zustimmungs- oder Ablehnungsdispositionen signalisieren. [50]

Als Beispiele führt Kambartel an:

„Empirisch, geschichtlich, Struktur, Vernunft, rational, hermeneutisch, formal, Begriff, Wert, Aussage, philosophisch, System, repressiv, Bildung, Herrschaft, sozial, gesellschaftlich, logisch, logische Folgerung, analytisch, ästhetisch, Vermittlung, Mathematisierung, Manipulation, kritisch, dialektisch." [51]

Taktisch-manipulativ ist der Gebrauch solcher Worte immer dann, wenn ihre Inhalte nicht zur bewußten und gerechtfertigten sprachlichen und handlungsrelevanten Orientierung präzise definiert werden, sondern wenn stattdessen die Nennung emotiv-positiv besetzter Wortkörper wissenschaftspolitische Loyalitäten aufbauen bzw. bekräftigen soll. Denn: „Sich im System der jeweils mit positiven oder negativen Akzenten versehenen bildungssprachlichen Formeln hinreichend gewandt bewegen zu können, bringt in der Öffentlichkeit ebenso wie im Bereich von Wissenschaft und Bildung Anerkennung und gehobene Positionen." [52] Derjenige nun, der sich selbst im Netz der Bildungssprache gefangen hat, ist seinerseits manipulierbar, da er nunmehr „allein durch geeignete Wahl der Worte" zu Aktionen für oder gegen Zustände, Institutionen und Personen mobilisiert werden kann, „ohne daß damit eine Überzeugung durch Gründe einhergeht". [53]

Am Ende dieses Abschnitts muß schließlich auf einen Umstand verwiesen werden, der noch einmal zu Stevensons Analyse emotiver Wortgebräuche zurückführt. Wie schon mehrfach gesagt, rekrutiert sich das Wortmaterial persuasiver Definitionen aus dem Reservoire vieldeutiger und zugleich intensiv emotiv besetzter Worte. Zwar ist unsere Sprache reichlich mit Wörtern ausgestattet, die diese Eigenschaften aufweisen, dennoch sind einige Wörter — offenbar wegen ihrer Wichtigkeit in Wissenschaft und Alltag — knappe Ware. Als Index dafür kann darauf verwiesen werden, daß die deskriptiven Komponenten einiger Wörter ständige Umdefinitionen erfahren, ohne gleichzeitige Änderungen des Wortkörpers. Die Metapher der

---

50 Kambartel, Manuskript.

51 ebd.

52 ebd.

53 ebd.

alten Schläuche, die man ständig leert, um sie mit neuen Flüssigkeiten anzufüllen, liegt hier nahe, ebenso wie die Vermutung, daß sich Verständigungsschwierigkeiten insbesondere bei der Verwendung solcher Wörter häufen. Stevenson verweist als Beispiel auf das Wort „Kultur“ (culture).[54] Ebensogut könnte man aber auch das Wort „Intelligenz“ nennen oder Wortpaare wie „Freiheit“/„Unfreiheit“, „Gleichheit“/„Ungleichheit“, „Gerechtigkeit“/„Ungerechtigkeit“ oder „demokratisch“/„undemokratisch“, „schuldig“/„unschuldig“. Was die Knappheit dieser und sicherlich noch einer Reihe ähnlicher Wörter bedingt, ist nicht so ohne weiteres festzustellen. Ich vermute, daß Probleme des Selbstverständnisses und der Selbstverständigung von Gruppen und Probleme der Identität einzelner hierbei eine Rolle spielen, insofern, als die genannten Worte eine Tradition haben, die sie vorzugsweise im Zusammenhang solcher Probleme verwendet. Wie auch immer es sich damit verhalten mag, mit einiger Sicherheit ist zu beobachten, daß hier so etwas wie eine Fixierung auf bestimmte Wortkörper vorliegt, die die prinzipielle „Hintergehbarkeit“ von Konventionen der Verwendung bestimmter akustischer Signale zumindest in der Alltagssprache verschleiert.[55] Hier werden Wörter zu „Prämien“, bei denen sich jedermann bemüht, sie mit Qualitäten seiner Wahl auszustatten.[56] Im Zusammenhang persuasiver Definitionen werden sie gelegentlich noch mit Zusätzen wie „wahr“

---

54 Stevenson, Ethics . . ., S. 212.

55 Zum Problem der Hintergehbarkeit bestimmter Wortgebräuche vgl. Lorenz, K., und Mittelstraß, J., Die Hintergehbarkeit der Sprache, in: Kantstudien 5/1967, S. 204: „Es muß . . . Sprache als *Sprachvermögen* von Sprache als empirisch gegebener *Gebrauchssprache* unterschieden werden. Während das Vermögen zu sprechen in der Tat unhintergehbar ist, also ein *formales* Apriori für Weltverstehen genannt werden könnte, kann jedes faktisch vorkommende Sprechen sehr wohl hintergangen werden. Das Sprachvermögen nämlich erlaubt es, sich von vorgegebenen Unterscheidungen der Gebrauchssprache zu lösen und ihre möglichen Intentionen kritisch zu rekonstruieren.“

56 Stevenson, Ethics . . ., S. 213. Vgl. auch Erdmann, K. O., Die Bedeutung des Wortes, Leipzig 1922, S. 145: „Käme es nur auf den begrifflichen Inhalt der Wörter und auf Feststellung objektiver Tatsachen und unzweideutige Verständigung an, so wäre die Benennung eine sehr gleichgültige Sache. Warum sollte man sich auch nicht ebensogut dieser wie jener Terminologie, dieser oder jener Wortabgrenzung anbequemen? Was liegt am Namen? ‚Name ist Schall und Rauch!‘ Aber am Worte haften auch Werte. Und so ist der Streit ums Wort auch dann ein Kampf um den Wert, wenn scheinbar nur vom begrifflichen Inhalt geredet wird.“

oder „wirklich“ versehen, was wiederum erlaubt, persuasive Definitionen leicht zu identifizieren, die mit ziemlicher Sicherheit immer dann vorliegen, wenn jemand die „wahre Freiheit“, die „wirkliche Demokratie“ oder „wahre Gerechtigkeit“ zu definieren versucht.[57] Der Streit um solche Worte hat oft nichtsprachlichen Bezug, signalisiert Interessenkonflikte, divergierende Einstellungen und Emotionen.[58] Ihre Umdefinition kann deshalb auch von außerordentlichem öffentlichem aber auch privatem Interesse sein. Anselm Strauss schreibt in seinen sprachsoziologisch orientierten Untersuchungen zum Identitätsproblem über Neudefinitionen wichtiger Worte: „Kampf um terminologische Prämien ist nicht nur ein Streit um Worte, denn *Worte* sind *Handlungsmandate*, und manchmal ist eine klassifikatorische Entscheidung eine Sache von Leben und Tod. Zumindest sind die menschlichen Interessen tief darin verstrickt“.[59]

Exkurs: Einige sprachtaktisch-interessenbedingte Definitionen

Fragen wie: Was ist eine Definition? und: Was ist der korrekte Gebrauch des Wortes x? gehören zu den ältesten philosophischen Problemen, die bis heute ihre Wichtigkeit und Aktualität nicht eingebüßt haben.[60] Nicht jedoch der

---

57 Stevenson, Ethics . . ., S. 213.

58 Vgl. Erdmann, Bedeutung . . ., S. 51: „In gänzlich aussichtslosen Diskussionen redet man immer wieder aneinander vorüber. Aber auch dann, wenn wirklich *sachliche Differenzen* bestehen, und wenn aufgrund verschiedenen Temperaments oder verschiedener Lebensanschauungen gewisse Erscheinungen auf entgegengesetzte Weise bewertet werden, wird die Kluft noch durch die besondere Wahl der Wortgrenzen erweitert.“

59 Strauss, A., Spiegel und Masken, Frankfurt/M. 1968, S. 25. Vgl. auch Huxley, A., Words and their Meanings, in: Black, M., ed., The Importance of Language, Englewood Cliffs 1962, S. 1: ”The old idea that words possess magical power is false; but its falsity is the distortion of a very important truth. Words *do* have a magical effect — but not in the way that the magicians supposed, and not on the objects they were trying to influence. Words are magical in the way they affect the minds of those who used them. ’A mere matter of words‘, we say contemptuously, forgetting that words have power to mold men’s thinking, to canalize their feeling, to direct their willing and acting . . .“

60 Vgl. Abelson, R., Artikel: ”Definition“, in: Encyclopedia of Philosophy, New York und London 1967. Gabriel, G., Artikel: „Definition“, in: Historisches

historische, sondern ein spezieller systematischer Aspekt dieses Problemkreises soll hier behandelt werden. Es soll gefragt werden, inwiefern die oben (S. 39) getroffene Unterscheidung zwischen „sprachlichen Kommunikationsintentionen" und „nichtverbalisierten Kommunikationsinteressen" für das Definitionsproblem unter sprachsoziologisch-sprachkritischen Gesichtspunkten fruchtbar gemacht werden kann.

Mit sprachlichen Kommunikationsintentionen — so war gesagt worden — soll gemeint sein, was Kommunikationspartner aufgrund der in einer Sprache vorhandenen Ausdrucksalternativen mitzuteilen beabsichtigen. Spricht man von den Kommunikationsintentionen einer bestimmten Person in einer bestimmten Kommunikationssituation, so meint man dasjenige, was Person (P 1) unter Beachtung (Antizipation) kommunikationsrelevanter situativer Randbedingungen aus dem ihr persönlich zur Verfügung stehenden Ausdrucksrepertoire (Kompetenz) auswählt, um ihrem Kommunikationspartner (P 2) eine bestimmte Mitteilung (Botschaft) zu machen. Welche Faktoren die faktische Wahl der Worte (Redepraxis⇌Performanz) steuern, war auch schon gesagt worden. Neben den sprachlichen und nichtsprachlichen Merkmalen des antizipierten Zuhörer- bzw. Leserkreises und den vom Sprecher beachteten Regeln der Wortverwendung, der Wortvermeidung und der Wortinterpretationen waren es seine (unausgesprochenen) Interessen. — Analoges gilt vermutlich auch für die faktische Wahl der jeweils in bestimmten Situationen verwendeten Urteile. — In diesem Zusammenhang kann unter nichtverbalisierten Kommunikationsinteressen verstanden werden, welche Absichten der Sprecher mit seiner sprachlich verfaßten Mitteilung bei(m) Kommunikationspartner(n) verfolgt, d. h. welche Reaktionen er auf der sprachlichen, aber insbesondere auch auf der nichtsprachlichen Verhaltensebene durch seine Mitteilung hervorzurufen im Sinn hat. Ausgegangen wird dabei davon, daß allen Kommunikationsintentionen auch unausgesprochene Interessen an Selbstbehauptung und begründeter oder unbegründeter Beeinflussung zugrundeliegen.

Ein Kommunikationspartner kann nun unter diesen Umständen mit Definitionen prinzipiell zweierlei beabsichtigen:

a) Von ihm vorgeschlagene Regeln der Prädizierung bzw. der Interpretation von Wörtern dienen dem alleinigen Zweck, seine Kommuni-

---

Wörterbuch der Philosophie, Ritter, J., et alts., eds., Bd. I, Basel und Stuttgart 1970. Vgl. neuerdings auch ders. Definitionen und Interessen. Über die praktischen Grundlagen der Definitionslehre, Stuttgart 1972.

kationsintentionen zu klären, sie seinem Kommunikationspartner verständlich zu machen. Sein Kommunikationsinteresse reduziert sich dann in diesem ersten Fall ausschließlich darauf, so exakt wie möglich verstanden zu werden. Definitionen dieser Art hätten demnach den alleinigen Zweck, Kommunikation zu ermöglichen und zu erleichtern, da sie der Erreichung und Erhaltung der Intersubjektivität der Sprache auf der Ebene der Worte dienen. Hierbei kann man annehmen, daß terminologische Übereinstimmungen in dem Maße erleichtert werden, in dem Interaktionspartner in ihren sonstigen Orientierungen und Handlungszielen übereinstimmen und daß andererseits Zustimmung zu einer bestimmten Interpretation eines Wortes in dem Maße problematisch wird, in dem eine solche Gemeinsamkeit bestimmter Orientierungen und Ziele noch unklar ist oder bestritten wird.

b) Es gibt aber auch Definitionen, die im Bereich eines ohnehin verbreiteten Wortschatzes gemacht werden, bei denen Verständigungsprobleme bislang nicht gegeben sind oder — aus taktischen Gründen — vermieden werden zugunsten eines Appells an eine voraussetzbare identische emotive Besetzung des definierten Wortes. Dies letzte ist der klassische Fall der oben erläuterten persuasiven Definition, bei dem versucht wird, die emotiv positive Besetzung eines allgemein verbreiteten Wortes (definiendum) auf eine bestimmte (neue) Interpretation dieses Wortes (definiens) zu übertragen.

Hierzu einige Beispiele aus den „Akten des zweiten Vatikanischen Konzils; Nr. 1, Pastoralkonstitution. Die Kirche in der Welt von heute", abgedruckt im „Kirchlichen Amtsblatt für das Bistum Essen", vom 7. 1. 1967:

Freiheit („wahre Freiheit")	„erhabenes Kennzeichen des Bildes Gottes im Menschen" (S. 5)
Einheit („wahre Einheit in der äußeren gesellschaftlichen Sphäre")	„Einheit der Gesinnungen und Herzen" (S. 14)
Liebe („wahre Liebe")	„die Menschliches und Göttliches in sich eint . . . hat der Herr durch eine besondere Gabe seiner Gnade und Liebe geheilt, vollendet und erhöht" (S. 18)

(„Wesen des Friedens“) *Frieden*	„besteht nicht darin, daß kein Krieg ist; er läßt sich auch nicht bloß durch das Gleichgewicht entgegengesetzter Kräfte sichern; er entspringt ferner nicht dem Machtgebot des Stärkeren ... Er ist die Frucht einer Ordnung, die ihr göttlicher Gründer selbst in die menschliche Gesellschaft eingestiftet hat“ (S. 30)

Taktische Definitionen erschöpfen sich jedoch nicht in der Klasse der von Stevenson entdeckten persuasiven Definitionen. Neben der Möglichkeit, die verbreitete positive Besetzung des definiendum auf ein interessenabhängig gewähltes definiens zu übertragen, gibt es auch den umgekehrten Fall, die Möglichkeit nämlich, positive Einstellungen gegenüber einem interessenabhängig gewählten definiendum durch sprachtaktisch geschickte Wahl des definiens zu suggerieren. Auch hierfür sei zumindest ein Beispiel angeführt:

„Familie“	„erste und wichtigste Gemeinschaft für den Menschen, für die Gesellschaft und den Staat“ (aus: Berliner Programm der CDU — 1968)

Zusammenfassend läßt sich sagen, daß die Absichten (nichtverbalisierten Kommunikationsinteressen) beider vorgestellten Arten taktischer Definitionen nicht primär in der interpersonellen Klärung der benutzten Wörter liegen, sondern in der Suggestion von (positiven) Einstellungen, einmal gegenüber dem im definiens, zum anderen gegenüber dem im definiendum Ausgedrückten. Sprachtaktisch-interessenbedingt ist an diesen Definitionen sowohl die Wahl der Worte wie auch die „Richtung“ der suggerierten (positiven) Bewertung.

In der Wahl der Worte läßt sich eine Ausbeutung verbreiteter, emotiv-positiv besetzter Worte beobachten. Es ist die Rede von „wahrer“ Freiheit, Einheit, Liebe, vom „Wesen“ des Friedens, von „erster“ und „wichtigster“ „Gemeinschaft“. In all dem kommt ein taktischer Einsatz der Sprache zum Ausdruck.

Interessenbedingt und zugleich manipulativ ist die Übertragung der positiven Besetzung — einmal vom definiendum auf das definiens, das andere

Mal vom definiens auf das definiendum — denn diese Übertragung emotiver Standards erfolgt im Sinne gruppentypischer bzw. organisationstypischer Handlungsorientierungen, deren transsubjektive Gültigkeit mittels taktischer Definitionen suggeriert, aber nicht begründet wird.

Die Rede von der manipulativen Funktion von Definitionen fordert die Frage heraus, wie Definitionen — etwa der angeführten definienda — möglich sind, die zwar immer noch von Interessen abhängen, aber dennoch dem Vorwurf der Manipulation entgehen. Folgende zwei Möglichkeiten ergeben sich dafür aus den bisherigen Analysen:

a) Nicht manipulativ sollen bewußt geplante (taktische) Definitionen heißen, die nur im Interesse der Klärung und Erläuterung sprachlicher Kommunikationsintentionen erfolgen (Beispiel: National und international vereinbarte Nomenklaturen im Bereich der Technik, der Medizin und anderer Fachsprachen).

b) Werden taktische Definitionen zur Verfolgung sonstiger (nichtverbalisierter) Interessen vorgenommen, so sind sie nur dann nicht manipulativ im erläuterten Sinne, wenn gleichzeitig eine Explikation dieser Interessen erfolgt und/oder — wo dies aus technischen oder pädagogischen Gründen nicht möglich ist — wenn es sich bei den verfolgten Interessen um transsubjektive Ziele handelt, d. h. um Ziele, die im Dialog gegenüber den Betroffenen mit guten Gründen verteidigt werden könnten (Beispiel: Definitionen von Wörtern aus dem Bereich der lebenspraktischen und praktisch-politischen Orientierung, insofern sie im Rahmen eines herrschaftsfreien Verständigungsversuches über transsubjektive Verhaltensregeln [61] getroffen werden).

In beiden Fällen möglicher nicht manipulativer Definitionsabsichten braucht auch nicht auf die Verwendung gemeinhin intensiv-emotiv besetzter Wörter wie „Vernunft“, „Freiheit“, „wahr“, „Frieden“ usw. verzichtet zu werden. Zwar kann deren mögliche suggestive Wirkung nicht außer Kraft gesetzt, jedoch durch Explikation und/oder Begründbarkeit der mit ihrer Hilfe verfolgten Ziele neutralisiert werden.

Im folgenden gilt es nun noch beispielhaft zu zeigen, daß und wie tatsächlich Definitionen der oben angeführten Wörter möglich sind, deren Interesse

---

61 Vgl. hierzu F. Kambartel, Ethik und Mathematik, Konstanz 1970 (unveröffentlichtes Manuskript).

an bloß lexikalischer Erläuterung nicht in ebensolcher Deutlichkeit von bestimmten impliziten Zielen bestimmter Gruppen oder Organisationen abhängt, wie es sich den schon erwähnten Fällen entnehmen ließ:

	Freiheit
(„wahre F.") „erhabenes Kennzeichen des Bildes Gottes im Menschen" (aus: Akten d. 2. Vatikanischen Konzils)	„grundsätzl. Entscheidungsbefugnis über eigene Angelegenheiten (Art. 2 GG) v. a. als Glaubens-, Gewissens-, Meinungs-, Presse-, Vers.-, Koalitionsfreiheit (aus: Meyers Großes Handlexikon, Mannheim 1968)
	Einheit
(„wahre E.") „Einheit der Gesinnungen und Herzen" (aus: Akt. d. 2. Vatikan. Konzils)	„Tag der deutschen — (17. Juni); Einheitlichkeit; Einheitskurzschrift, ... staat, ... wert" (aus: Duden, Mannheim 1961)
	Liebe
(„wahre L.") „die Menschliches u. Göttliches in sich eint ... hat der Herr durch eine besondere Gabe seiner Gnade u. Liebe geheilt, vollendet u. erhöht" (aus: Akt. d. 2. Vat. Konz.)	„Inbegriff d. seelischen, geistigen und körperlichen Bindung d. Menschen an ein Du, der schicksalhaften Begegnung mit dem anderen Geschlecht u. d. Lebensäußerungen, in denen sich diese Bindung manifestiert, wie z. B. Begehren, Hingabe, Lebensgemeinschaft u. a." (aus: Duden ...)
	Frieden
(„Wesen des F.") „besteht nicht darin, daß kein Krieg ist; er läßt sich auch nicht bloß durch das Gleichgewicht entgegengesetzter Kräfte sichern; er entspringt ferner nicht dem Machtgebot des Stärkeren ... Er ist Frucht einer Ordnung, die ihr göttlicher Gründer selbst in die menschliche Gesellschaft eingestiftet hat" (aus: Akt. d. 2. Vat. Konz.)	„Zustand des friedlichen Nebeneinanderlebens von Völkern, Parteien, einzelner Menschen; Fehlen jeder Bedrohung untereinander oder von dritter Seite; auch in der belebten Natur, besonders im Tierreich ..." (aus: Duden ...)

Familie

„erste und wichtigste Gemeinschaft für den Menschen, für die Gesellschaft und den Staat“ (aus: Berl. Progr. d. CDU)

„menschliche Lebensgemeinschaft, durch Verwandtschaft begr., i.e.S. die Eltern mit den unselbständigen Kindern“ (aus: Meyers Gr. Hwb . . .)

Dieses Kapitel abschließend sollen nun noch die bisher bereitgestellten Instrumente einer sprachsoziologisch orientierten Textanalyse in dem folgenden Fragenkatalog zusammengestellt werden:

a) Wo gehen in Texte vage Worte ein, d. h. Worte, deren (deskriptive) Bedeutungen — wenngleich für die im Text aufgestellten Behauptungen relevant — im Text selbst nur ungenau oder gar nicht erklärt bzw. verbindlich festgelegt werden?

b) Wo gehen in einen Text (gegebenenfalls intensiv) emotiv „gefärbte“ Worte ein?

c) Werden bestimmte (Kern-)Wörter besonders häufig verwendet? Wie steht es mit der Klärung gerade ihres Gebrauchs?

d) Lassen sich die Verwendungen ungeklärter, vager und/oder emotiv gefärbter Wörter mit bestimmten Motiven und unausgesprochenen Interessen des Autors in Zusammenhang bringen? Welche Funktion haben sie im Text? Werden sie zu taktischen (persuasiven) Definitionen oder zur — gegebenenfalls suggestiven — Verschleierung sprachlicher Kommunikationsintentionen oder unausgesprochener Interessen ausgenutzt?

e) Erlaubt die häufige Verwendung bestimmter (Kern-)Wörter eine Identifikation des Autors mit einer bestimmten gesellschaftlichen Gruppe, mit bestimmten Organisationen oder bestimmten wissenschaftlichen „Schulen“? Sucht der Autor durch die Verwendung bestimmter Wörter oder durch bestimmte (gruppen-)typische Interpretationen einzelner Wörter lediglich Loyalitäten aufzubauen oder zu signalisieren?

f) Kann gezeigt werden, ob der Autor bei der Behandlung bestimmter Probleme die Verwendung bestimmter Wörter (ausdrücklich) vermeidet?

g) Erlauben Wortwahl und Wortinterpretation Rückschlüsse auf ein im Text selbst nicht expliziertes Urteilsrepertoire bestimmter Personen oder Gruppen („Weltanschauung“, „Selbstverständnis“)? In welchem Verhältnis stehen in einem solchen Fall dann Terminologie, Urteilsrepertoire und Interessen (Ideologie)?

3.0 Urteil

Verständigungsschwierigkeiten tauchen nicht nur auf der Wortebene auf. Sie ergeben sich nicht nur dadurch, daß Menschen in Gesprächen Wörter verwenden, denen sie unterschiedliche Bedeutungen beilegen. Sie ergeben sich auch nicht nur deshalb, weil offenbar eine Reihe von Wörtern des alltäglichen Gebrauchs prinzipiell vieldeutig sind, obgleich wir alle ihre Verwendung schätzen und auf sie angewiesen sind. Verständigungsprobleme ergeben sich darüber hinaus — sieht man von dem hier noch nicht behandelten Problem der unbekannten Wörter ab — dadurch, daß verschiedene Personen Gesprächsgegenstände und Probleme unterschiedlich beurteilen, sei es, weil ihnen unterschiedliche Informationen zur Verfügung stehen, sei es, weil sie ähnliche Informationen unterschiedlich verarbeiten. Aus solchen Situationen retten sich Gesprächspartner oft mit Floskeln wie: „Das ist eben Geschmackssache", oder: „Wir haben da offenbar eine andere Perspektive", oder einfacher: „Das ist Standpunktsache".

In der wissenschaftstheoretischen Tradition sind bei der Behandlung von Urteilen verschiedenerlei Unterscheidungen vorgeschlagen worden. Da ist die Rede von analytischen und synthetischen, von theoretischen und praktischen, von (empirisch) sinnvollen und sinnlosen Urteilen. Im folgenden werde ich mich bei der Behandlung von Urteilen jedoch nicht nur an deren wissenschaftstheoretischem Status orientieren. Gerechter wird der sprachanalytisch-pragmatischen Grundrichtung dieser Untersuchung wahrscheinlich eine Orientierung an der *gesellschaftlichen Funktion* von Urteilen. Hierzu hat jüngst Jürgen Habermas eine Unterscheidung vorgeschlagen, die mir für die hier verfolgten Ziele nützlich erschien, und von der ich mich bei einigen der anschließenden Überlegungen habe leiten lassen.

Habermas unterscheidet zwischen Urteilen, die zum (unausgesprochenen) Zwecke, oder wie er sagt, im „Interesse" an der *„technischen Verfügung"*, das heißt zur Instrumentalisierung von Natur und Gesellschaft erarbeitet und ständig korrigiert werden, und solchen, die der *„lebenspraktischen Verständigung"* dienen, das heißt, durch die symbolisch vermittelte Interaktionen geregelt werden.[1] Im Urteilsbereich mit dem Zwecke technischer Verfügung, der von den empirischen und analytischen Wissenschaften in einem kumulativen Prozeß ständig systematisiert, methodisiert und auf dem Wege der Erfolgskontrolle korrigiert wird, gehen die kulturellen Ziele als unreflektierte Vorgaben ein, und eben deren Analyse und Begründung obliegt im akademischen Bereich, nach Habermas, den historisch-hermeneutischen Wissenschaften und — wie man hinzufügen könnte — der praktischen Philosophie.

Verweisen die Habermasschen Unterscheidungen auf den pragmatischen Zusammenhang ganzer Systeme wissenschaftlicher Forschung und der für sie typischen Urteile, so müssen im folgenden Unterscheidungen vorgenommen werden, die eine Berücksichtigung des pragmatischen Zusammenhanges bei einzelnen Sprechern und Hörern — eine Berücksichtigung der *personalen Funktion* von Urteilen — erlauben. Unter „pragmatischem Zusammenhang" wird dabei (a) der Zusammenhang von sprachlichem und nichtsprachlichem Handeln und (b) der Grad der Reflexivität verstanden, den der einzelne gegenüber bestimmten Urteilen zu gewinnen vermag, d. h. die Fähigkeit zur kritischen Distanz gegenüber Urteilen gekoppelt mit der Fähigkeit zur Verarbeitung neuer Informationen.

3.1 Hypothetische und emotiv fixierte Urteile

Im Zusammenhang mit der Urteilstätigkeit des einzelnen stößt man auf ein Dilemma, das nicht nur bei Problemen verbaler Kommunikation eine wichtige Rolle spielt, sondern darüber hinaus auch für einen großen Teil unserer alltäglichen Fehlleistungen verantwortlich ist. Das hier gemeinte Dilemma besteht in folgendem: Auf der einen Seite sind wir dauernd darauf angewiesen zu urteilen. Hierzu schreibt Sodhi: „Abgesehen von den elementaren physiologischen reflexartigen Tätigkeiten dürfte es kaum eine

1 Habermas, Erkenntnis ..., S. 234 ff. Vgl. auch ders., Zur Logik der Sozialwissenschaft, Tübingen 1967, S. 23: „Die Forschungssysteme, die technisch verwertbares Wissen erzeugen, sind in der Tat zu Produktivkräften der industriellen Gesellschaft geworden. Weil sie bloß Techniken hervorbringen, sind sie aber der *Orientierung im Handeln* gerade nicht fähig. Soziales Handeln ist zunächst ein traditionsvermitteltes Zusammenspiel in umgangssprachlicher Kommunikation, das Antworten auf praktische Fragen verlangt."

menschliche Handlung geben, die nicht in irgendeiner Form durch Urteile eingeleitet oder begleitet oder nachträglich durch Urteile begründet wird." [2] Auf der anderen Seite erfolgen Urteile fast immer auf der Basis unvollständiger bzw. ungenauer, wenn nicht gar unrichtiger Informationen. Hierzu äußert Johnson folgende Hypothesen:

a) Bestenfalls ein kleiner Teil der geringen Informationen, mit denen sich die meisten von uns begnügen müssen, sind Informationen aus „erster Hand", d. h. beruhen auf eigenen gesicherten Erfahrungen.

b) Bei weitem das meiste von uns gespeicherte Wissen wird lediglich verbal übermittelt, also ohne begleitende Erfahrungen.

c) Das meiste davon wiederum erhalten wir in verhältnismäßig abstrakter Form und nicht als detaillierten Bericht oder präzise Handlungsanweisung.

Wörtlich schreibt Johnson: "Thus we are not only drastically limited by our common verbal means of symbolizing fact and experience, but we are also appallingly limited in our reliable knowledge of fact and experience". [3] Verständigungsprobleme im Bereich der Urteile erschöpfen sich jedoch nicht

---

2 Sodhi, K. S., Urteilsbildung im sozialen Kraftfeld, Göttingen 1953, S. 7. Sodhi fährt fort: „Schon bei den primitivsten Triebregungen, in Gefühlen und heftigen Gefühlswallungen ist die Urteilstätigkeit mit einbezogen. Denn die Gefühle sind keine autonomen Funktionen, sie erwachsen aus der Bewertung einer Sachlage als gut oder schlecht, lebensfördernd oder lebensbeeinträchtigend ..." (ebd.).

3 Johnson, W., The Communication Process and General Semantic Principles, in: Schramm, W., ed., Mass Communication ..., S. 307. Vgl. auch ebd.: "There is almost always a significant degree of probability that discourse involving two or more individuals will result in misunderstanding, confusion, and the intensification of conflict. There is considerable hope of decreasing this probability, however so long as the obstacles to communication are clearly recognized so that allowance can be made for them in a forthright, impersonal, and even goodhumored manner. On the other hand, a naive confidence in the constructive possibilities of discussion, an uncritical faith in the power of words, can be disastrously misleading and socially as well as individually disruptive. It obscures both the sources of misunderstanding and the possibilities of agreement and cooperative action."

Vgl. hierzu auch Church, Language ..., S. 137, und Reimann, Kommunikationssysteme, Tübingen 1968, S. 111.

in Problemen der Information. In bestimmten Fällen kann ausreichende Information lediglich eine Voraussetzung dafür sein, daß sich Differenzen des „Geschmacks", der „Perspektiven", der „Standpunkte" zwischen Gesprächspartnern überbrücken lassen. Ähnlich wie auf der Ebene der Wortverwendung emotive Vorlieben und Phobien beachtet werden müssen, ist dies auch auf der Ebene der Urteile notwendig.

Allport unterscheidet in seiner umfangreichen Arbeit über die Vorurteilsproblematik „vorläufige Urteile" (prejudgments) und „Vorurteile" (prejudices).[4] *„Vorläufige Urteile"* sind alle diejenigen Urteile, bei denen der einzelne dem Dilemma, trotz chronischer Unterinformation urteilen zu müssen, dadurch zu entgehen sucht, daß er sie als ständig reversibel begreift. Typische Beispiele liefern die Erfahrungswissenschaften, deren Ergebnisse deshalb als prinzipiell hypothetisch, „vorläufig", d. h. durch neue Informationen korrigierbar aufgefaßt werden müssen.[5] *„Vorurteile"* unterscheiden sich von der Klasse der vorläufigen Urteile dadurch, daß sie für denjenigen, der sich kognitiv oder praktisch an ihnen orientiert, schwer oder gar nicht reversibel sind, auch nicht durch neue Informationen, die ihre Korrektur nahelegen. Die Unzugänglichkeit von Personen in bezug auf ihre Vorurteile kommt, ganz allgemein gesagt, daher, daß diese Urteile in der emotiven Erlebnisschicht der einzelnen verankert sind. Allport schreibt dazu: "If a person is capable of rectifying his erroneous judgments in the light of new evidence he is not prejudiced. *Prejudgments become prejudices only if they are not reversible when exposed to new knowledge.* A prejudice, unlike a simple misconception, is actively resistant to all evidence that would unseat it. We tend to grow emotional when a prejudice is threatened with contradiction. Thus the difference between ordinary prejudgments and prejudice is that one can discuss and rectify a prejudgment without emotional resistance."[6] Bergius unterscheidet bei Vorurteilen einen kognitiven, einen emotiven und einen Handlungsaspekt.[7] Den kognitiven Aspekt sieht

---

4 Allport, G. W., The Nature of Prejudice, Cambridge/Mass. 1954, S. 9.

5 Vgl. hierzu Dahrendorf, R., Ungewißheit, Wissenschaft und Demokratie, in: Argumentationen, eds. Delius, H., und Patzig, G., Göttingen 1964, S. 43—66; Waisman, F., Verifizierbarkeit, in: Sprache und Analysis, ed. Bubner, R., Göttingen 1968, S. 154—169.

6 Allport, Nature . . ., S. 9.

7 Bergius, R., Vorurteilsforschung in der Psychologie, in: Überwindung von Vorurteilen, ed. Friedrich-Ebert-Stiftung, Hannover 1960, S. 47.

er darin, daß Vorurteile nicht — wie bloße Fiktionen — ohne jeden Wirklichkeitsbezug sind. Sie enthalten ein „vermeintliches Wissen“ irgendwelcher Eigenschaften der Objektwelt. Diese Eigenschaften werden aber eben nicht nur neutral registriert, sondern sie erhalten eine „ausgeprägte gefühlsmäßige Bewertung“, beispielsweise von Klassen von Personen, die in emotionalen Stellungsnahmen wie Antipathien und Sympathien den emotiven Aspekt von Vorurteilen zum Ausdruck bringt. Der Handlungsaspekt schließlich liegt in den typischen (vorurteilsgesteuerten) Verhaltensdispositionen gegenüber positiv oder negativ beurteilten Personenklassen.

Ihren sprachlichen Niederschlag finden Vorurteile gewöhnlich in verbalen Stereotypen, die die logische Form falsifizierter bzw. leicht falsifizierbarer Allaussagen haben. Dies trifft auf Behauptungen zu, die etwa wie folgt lauten können:

„Neger sind faul“;
„Juden sind intelligent“;
„Schotten sind geizig“.

Hierbei ist wichtig zu beachten, daß Stereotype nicht eo ipso zusammenfallen mit emotiven Wortbedeutungen. Stereotypen liegen bestimmte fixierte Vorstellungen, beispielsweise über Menschenklassen oder ethnische Gruppen zugrunde, die bestimmte Wortgebräuche begleiten können. Das Wort „Neger“ kann als neutrales Prädikat ohne jede emotive Qualifikation verwendet und auch verstanden werden, als eine bloße Bezeichnung also für eine Klasse von Menschen mit intersubjektiv feststellbaren Merkmalen der Pigmentierung, geographischen Verteilung usw. Das Wort „Neger“ kann aber auch Vorstellungen und Assoziationen hervorrufen, die sprachlich faßbar sind in Urteilen wie:

„Neger sind musikalisch“;
„Neger riechen“;
„Neger sind abergläubisch“. [8]

Solche Vorurteile können dann in Form eines (Schimpf-)Wortes wie „Nigger“ kondensiert werden, das dadurch seine emotiv-abwertende Bedeutung erhält.

Eine allgemein beobachtbare Neigung zu Stereotypen muß in engem Zusammenhang mit der Notwendigkeit nahezu ununterbrochener Urteilstätig-

---

8 Vgl. Allport, Nature..., S. 191.

keit gesehen werden. Eine Kontrolle aller kognitiven und praktischen Orientierungen, nach denen wir ständig urteilen und handeln, wäre schon aus zeitlichen Gründen unmöglich. Wir sind deshalb sehr oft auf unüberprüfte und auch unüberprüfbare Schematisierungen [9] angewiesen, die unserer Urteilstätigkeit zugrunde liegen und die wir an irgendeinem Punkt unserer Biographie mehr oder weniger bewußt von „signifikanten anderen" übernommen haben. [10] Solche stereotypisierten, eingeschliffenen Urteilsweisen sind auf der einen Seite sehr vorteilhaft. In ihnen übernehmen wir die im Verlauf der kulturellen und materiellen Entwicklung erarbeiteten Lösungsvorschläge zu Problemen lebenspraktischer Verständigung und technischer Verfügung. Sie sind „gespeicherte geistige Arbeit". [11] Daneben haben Stereotype eine wichtige denkökonomische Funktion. Allport schreibt dazu: "Whether we use directed or autistic thinking all of us are continually

---

9 Zum Begriff des Schemas vgl. Church, Language ..., S. 36: "Stated logically rather than psychologically, a schema is an implicit principle by which we organize experience. Psychologically, the schema has two faces. On the environmental side, we become sensitive to regularities in the way things are constituted and act, so that we perceive the environment as coherent and orderly, in ways that the adult can make explicit as principles but that, for the baby, exist only in the sense that here is the world and things are under pretty good control. On the organismic side, schemata exist in our mobilizations to act and react, which in turn reflect the environmental properties to which we are sensitive." Vgl. hierzu auch Parry, J., Psychology of Human Communication, London 1967, S. 105: "Without schemas there would be no continuity or development in individual experience and no possibility of communication between one human being and another. Living would be a moment-to-moment affair; there would be no social groups, merely aggregation of psychopathic individuals, each dominated by the impression of the moment."

10 Vgl. hierzu Klaus, G., Die Macht des Wortes, Berlin 1964, S. 146: „Der Empfänger sprachlicher Zeichen hat aufgrund früherer Erfahrungen bestimmte Grade des Glaubens erworben, die ihn veranlassen, manche Wörter, Sätze usw. für wirkungsvoller und überzeugender zu halten als andere ... Das erklärt sich aus der Tatsache, daß Sprachgewohnheiten und das Fürwahrhalten von Aussagen letztlich nur aus der materiellen und geistigen Geschichte der jeweiligen Individuen zu erklären sind ..."

11 Klaus, Macht ..., S. 156: „Standardisierten Unterprogrammen entsprechen Denkgewohnheiten. Denkgewohnheiten und Denkschemata sind einerseits außerordentlich vorteilhaft. Sie sind gewissermaßen gespeicherte geistige Arbeit ... Ein starres Festhalten an solchen Denkgewohnheiten aber, der Versuch, unter allen Umständen mit einem gegebenen Vorrat an solchen Unterprogrammen auszukommen, führt zum Dogmatismus ..."

trying to build up a world-picture that is orderly, manageable, and reasonable simple. Outer reality is in itself chaotic — full of too many potential meanings. We have to simplify in order to live; we need stability in our perceptions. At the same time we have an insatiable hunger for explanations. We like nothing left dangling; everything should have its place in the scheme of things ...“ [12]

Dennoch liegen die aus solchen Schematisierungen unserer Urteilstätigkeit sich für die Verständigung ergebenden Probleme auf der Hand, selbst wenn man einmal von emotiven Fixierungen und Phobien bestimmter Urteilsweisen absieht. In Gesprächssituationen, die aus technischen, räumlichen, zeitlichen oder sonstigen Gründen keine unmittelbare Überprüfung der zu einem Thema geäußerten Urteile zulassen und bei denen den Gesprächspartnern auch keine gemeinsam kontrollierbare Erinnerungen zu diesem Thema zur Verfügung stehen, bleibt die Annäherung differierender Urteile dem Belieben überlassen. Es sind dann nur noch Rekurse der Gesprächspartner auf ihre je eigenen Informationen möglich, die bei Personen mit vielleicht sehr unterschiedlichen Biographien auch sehr unterschiedlich, ja widersprüchlich, ausfallen können. [13] Gerade solche Fälle sind es auch, in denen die Randbedingungen der Kommunikationssituation von zentraler Bedeutung für die Argumentation der Gesprächspartner sein werden. Die Art der Zuhörerschaft, Anlaß und Ort des Gesprächs können dann entweder in Richtung auf eine Zuspitzung oder Glättung gegensätzlicher Auffassungen wirken.

Blickt man auf Prozesse sprachlicher Verständigung im Alltag, so kann immerhin festgestellt werden, daß es sich sowohl im Falle der unmittelbaren Überprüfbarkeit von Urteilen wie auch im Falle des isolierenden Rekurses auf private Erfahrungswelten um Grenzfälle einerseits perfekter, andererseits mißlungener Verständigung handelt. Zwischen der exakten Verständigung, beispielsweise auf dem Weg über interpersonell kontrollierbare Erfahrungsurteile, und schierem Unverständnis, beispielsweise gegenüber unver-

---

12 Allport, Nature ..., S. 169.

13 Vgl. Church, Language ..., S. 130: „... if I am arguing with somebody about American foreign policy, I am behaving only partly toward my opponent and partly toward the topic of discussion. How, then, does the 'topic of discussion' exist for us? It can only exist as schemata, mine and my opponents'. When my opponent speaks, he is verbalizing a portion of the schematic framework within which he orders his life ...
In a matter where a person has no first-hand experience, his schemata are the residue of all the relevant verbalizations that he has met and made ...“

mittelbaren Gefühlserlebnissen, ihre Existenz einmal vorausgesetzt, liegt eine Region immer zumindest partiell gelungener oder immer nur partiell gestörter Kommunikation. Alfred Schütz nennt diese Region die „alltägliche Lebenswelt" (world of everyday life). Ähnlichkeiten der auf diese Region sich beziehenden Urteile sieht er garantiert durch den allen Menschen einer Gruppe zur Verfügung stehenden Schatz an "commonsense thinking". [14] Mit dieser schwer übersetzbaren Formel verweist Schütz auf einen Wissensschatz „relevanter Typisierungen": typische Lösungen für typische praktische und typische theoretische Probleme einer Gruppe. "All this knowledge is taken for granted beyond question by the respective social group and is thus 'socially approved knowledge'. This concept comes very near to what Max Scheler called the 'relativ natürliche Weltanschauung' ..." [15]
Welche von diesen typisierten Urteilen „vorläufige Urteile" (Hypothesen) mit der Chance einer Korrektur durch Information bleiben und bei welchen Urteilen es zu emotiven Fixierungen und damit zur Vorurteilsbildung kommt, hängt — analog zur emotiven Besetzung einzelner Wörter — von den jeweiligen geschichtlichen Bedingungen einer Gruppe oder einer ganzen Gesellschaft ab, [16] wie auch vom individuellen Erlebnishorizont einzelner. [17] Haben sich Vorurteile einmal allgemein etabliert, dann stellen sie aufgrund ihrer Persistenz ein beträchtliches Hindernis für die Verständigung zwischen

14 Schütz, A., Symbol, Reality and Society, in: Bryson et al., eds., Symbols ..., S. 189. Den Versuch einer systematisch-phänomenologischen Rekonstruktion der "world of everyday life" im Anschluß an Schütz unternehmen Berger, P. L., und Luckmann, Th., in ihrer Arbeit: The Social Construction of Reality, New York, 1967.

15 Schütz, Symbol ..., S. 193.

16 Vgl. hierzu Sodhi, Urteilsbildung ..., S. 8: „Der überwiegende Teil unserer Urteilsbildungen ist begründet in der Notwendigkeit, der sozialen Umwelt Herr zu werden. Bei derartiger Anpassung ist weniger die logische Begründung der Urteile als vielmehr die Struktur der sozialen Umwelt maßgebend, die viel unmittelbarer und dringender eine Auseinandersetzung erfordert als die physikalische Umwelt. Die Übernahme der in einem Kulturkreis herrschenden Anschauungen und Urteilssysteme durch ein in diesem Kulturkreis aufwachsendes Individuum erfolgt nicht aufgrund eines logischen Erkenntnisprozesses, sondern in erster Linie aufgrund einer tätigen Auseinandersetzung mit der sozialen Wirklichkeit, wobei die Übernahme der Urteile selbst eine Art des Auseinandersetzens mit ihr darstellt." Hier, im Bereich der lebenspraktischen, umgangssprachlich vermittelten Orientierungen, liegen die interkulturellen Verständigungsprobleme, nachdem sich bereits in den Systemen von Wissenschaft und Technik eine nahezu unbeschränkte Verständigung zwischen den Wissenschaft-

Gruppen dar und werden — oft unterschiedslos eingebettet in den übrigen Urteilsschatz einer Gruppe — auf dem Wege über die linguistische Sozialisation nachfolgenden Generationen weitergegeben.[18]

3.2 Taktisch-interessenbedingte Urteile

Die auf der Urteilsebene bisher behandelten zwei Arten von Verständigungsproblemen müssen noch durch eine dritte wichtige ergänzt werden. Verständigungsprobleme können sich nicht nur durch unterschiedliche Informationen und emotive Fixierungen bestimmter Urteile ergeben. Verständi-

---

lern aller Länder entwickelt hat, wie internationale Kongresse der Physiker, Geologen, Mediziner usw. dokumentieren. Diese „kulturellen Riegel" (Reimann) gilt es systematisch aufzudecken und durch gezielte Kommunikationsplanung zu beseitigen. Vgl. hierzu auch Glenn, E. S., Semantic Difficulties in International Communication, in: ETC, A Review of General Semantics, Vol XI, 3/1954, S. 163: "The fact that when speaking of the English, the American, the French, or the Spanish, we tend to use expressions such as 'national character' should not blind us to the fact what is meant by 'character' is in reality the embodiment of a philosophy or the habitual use of a method of judging and thinking."

17 Vgl. das Zitat aus Sodhi, Urteilsbildung..., Anm. 16, und Katz, Psychological Barriers..., S. 324: "If the hierarchy of social status is built on stereotypes about negroes, foreigners, and the lower classes, then these stereotypes are not neutral but are invested with the emotional color associated with the superiority of the upper groups." Vgl. auch Rüschemeyer, D., Ergebnisse der soziologischen Vorurteilsforschung, in: Überwindung von Vorurteilen, ed. Friedrich-Ebert-Stiftung..., S. 33: „Abwertende Vorurteile gegenüber Fremdgruppen sind häufig die Begleiterscheinungen zur soziokulturellen Integration der Eigengruppe, eine Tendenz, die sich auch in der bekannten Unterscheidung zwischen Menschen und Barbaren im antiken Griechenland widerspiegelt. Dem positiven Vorurteil gegenüber der eigenen Gesellschaft entsprechen die negativen gegenüber fremden Kulturen."

18 Vgl. Goldschmidt, D., Das Vorurteil gegen Minderheiten in soziologischer Sicht, in: Überwindung von Vorurteilen, ed. Friedrich-Ebert-Stiftung..., S. 17: „Kinder fallen weder vom Himmel noch wachsen sie im Brutkasten auf. Sie wachsen vielmehr in der Gesellschaft der Eltern sowie anderer Erwachsener und in der von Kindern heran. In der Orientierung an anderen, in der Übernahme von deren Anschauungen, Werten und Urteilen finden sie Maßstäbe für sich selbst, ja finden sie zu sich selbst. Urteile wie Vorurteile bilden — von der Position des heranwachsenden Kindes aus gesehen — ein ununterscheidbares Ganzes, das ihm den Rahmen für die Möglichkeiten eigenen Handelns und Verhaltens gibt."

gungsprobleme ergeben sich auch, wenn jemand — wider besseres Wissen — Interesse an der Richtigkeit bzw. Gültigkeit von Urteilen hat. In diesem dritten Fall scheitert die Verständigung nicht aus bloßen Gründen der Information. Sie scheitert auch nicht, weil bei mindestens einem der Gesprächspartner emotive Fixierungen vorliegen. Es gibt diese dritte wichtige Möglichkeit, daß nämlich die Korrektur eines nachweislich unrichtigen oder unexakten Urteils unterbleibt, weil einzelne oder ganze Gruppen beispielsweise ein politisches oder ökonomisches Interesse an der (Weiter-)Geltung von vorläufigen Urteilen" oder von „Vorurteilen" haben. Ganz allgemein kann diese dritte Art von Verständigungsschwierigkeiten darauf zurückgeführt werden, daß nicht die Richtigkeit, sondern die praktisch-politische und ökonomische Nützlichkeit von Urteilen bei ihrer Bewertung und Verwendung im Vordergrund steht.

Karl Mannheim hat für den Typ einer polarisierten Klassengesellschaft die beiden grundsätzlichen Möglichkeiten von Urteilsdifferenzen auf der Basis politischer Interessendifferenzen herausgearbeitet. Die herrschende Klasse ist als herrschende an der Erhaltung des status quo interessiert und urteilt deshalb, wie er sagt: „ideologisch". Die beherrschte Klasse ist an der Veränderung des status quo interessiert und urteilt deshalb „utopisch". [19] Damit ist ein grundlegender, nämlich herrschaftsbedingter Zusammenhang von Interesse und Urteil aufgezeigt. [20]

Konkurrierende Interessen führen auf der Ebene der Sprache zu konkurrierenden sprachlichen Normierungen. [21] Und dadurch können für die Verständigung noch über die Tatsache von Interessendifferenzen hinaus zusätzliche Schwierigkeiten entstehen, die durch Differenzen eben solcher sich verselbständiger sprachlicher Normierungen konkurrierender Interessengruppen bedingt sind. In seiner anregenden Untersuchung über "Languages Stand-

---

19 Mannheim, Ideologie ...

20 Vgl. hierzu Dahrendorf, R., Class and Class Conflict in Industrial Society, Stanford 1963, 3. Aufl., S. 157—240.

21 Vgl. hierzu Klaus, Macht ..., S. 47: „Jede Klasse, und insbesondere jede Partei, die bestimmte Klasseninteressen materiell-organisatorisch und ideologisch verficht, betreibt auf ihre Art Pragmatik, indem sie eine ihren Interessen dienende politische Sprachregelung anstrebt. Bestimmte Worte, die sprachliches Gewand neuer Ideen und Gedanken sind, müssen zum allgemeinen Sprachgut werden, dann gewinnen sie selbst eine politisch und ideologisch organisierende Funktion." Vgl. auch S. 103.

points and Attitudes" schreibt Hodges: „If every standpoint had a complete vocabulary peculiar to itself, what was said from one standpoint could not be taken as if it had been said from another." [22] Zu Sprachkonfusionen kommt es aber oft dadurch, daß unterschiedliche Auffassungen, Perspketiven, Standpunkte mit weitgehend identischem Sprachmaterial formuliert werden: "The same word, i. e. the same articulated sound or graphic sign, can function as element in different languages, having different meanings in each, as each expresses a different standpoint." [23] Hinter semantischen Differenzen können sich oft unterschiedliche Auffassungen und Interessen verbergen.

Neben expliziter, manipulativer Sprachplanung [24] bietet sich politischen und sonstigen Interessen auch die Möglichkeit einer Ausnützung oder Belebung bereits wirksamer Vorurteile. Baran und Sweezy analysieren in diesem Zusammenhang das Stereotyp des Antikommunismus als geradezu klassisches Beispiel dafür, wie bestimmte, vorwiegend politisch-imperialistisch motivierte Gruppen vorhandene antikommunistische, emotiv besetzte Urteile in den Jahren nach dem zweiten Weltkrieg zu ihren Zwecken ausgebeutet haben, und dies vielfach auch heute noch ungehindert tun,

---

22 Hodges, H. A., Languages, Standpoints and Attitudes, London, New York, Toronto 1953, S. 16.

23 ebd. Bei Hodges findet sich auch eine Stelle, die einen interessanten Einblick in die Kommunikation zwischen Wissenschaftstheoretikern bzw. Philosophen ganz allgemein gibt: "There is a type of thinker who begins with the conviction that one way of looking at things, and only one, is right and legitimate in science or philosophy. Such a man will find a linguistic code which satisfies his requirements and expresses the kind of things which he wants to say; and his 'analysis' will then consist in breaking down all utterances made in a different convention from his own, either 'translating' them into what he considers to be their equivalents in his own language, or, if he cannot translate them, declaring them to be 'nonsense'. This man is a dogmatist, whatever he may profess to be;". Vgl. hierzu auch Stegmüller, Hauptströmungen der Gegenwartsphilosophie, Stuttgart 1965, S. XLI ff.; und Habermas, Erkenntnis . . ., S. 281: „Die dogmatische Beschränkung eines falschen Bewußtseins bemißt sich nicht nur am *Fehlen*, sondern an der spezifischen *Unzugänglichkeit* von Informationen; sie ist nicht nur ein kognitiver Mangel, sondern der Mangel ist durch eingewöhnte Standards auf der Grundlage affektiver Einstellungen fixiert. Daher hat die bloße Mitteilung von Informationen und die Benennung von Widerständen keine therapeutische Wirkung."

24 Vgl. hierzu Moser, H., Sprache — Freiheit oder Lenkung? Mannheim 1967.

in oft zynischer Ausnutzung der gerade ihnen zur Verfügung stehenden Spezialinformationen. Die These von der sowjetrussischen Aggressivität ist offiziell in den Vereinigten Staaten — und wir können hinzufügen: auch in der Bundesrepublik, vornehmlich durch eine Partei — „so oft" und „so laut" vertreten worden, daß die meisten Amerikaner sie inzwischen als Tatsache hinnehmen, „so unumstößlich wie die, daß auf den Tag die Nacht folgt. Und doch kennen wir, obwohl das paradox erscheinen mag, keinen ernsthaften Analytiker der Sowjetunion und sowjetrussischen Politik, der wirklich daran glaubt" [25]. Die offizielle westliche Propaganda verstellte vor allem in den fünfziger Jahren den Blick auf die Wirklichkeit einer im wesentlichen defensiven Politik der Sowjetunion und dies mit beträchtlichen negativen Folgen für die internationale Verständigung und beträchtlichen positiven Folgen für Rüstung und Industrie der Vereinigten Staaten und ihrer Verbündeten. [26]

Der Zusammenhang von Interesse an der Gültigkeit von Urteilen und dem Problem der Verständigung wird nun noch einmal zunächst mehr modellhaft behandelt. Hierbei sollen Fragen der Identität und Legitimität und das hierfür wichtige Problem der Verbindung zwischen verbaler und extraverbaler Selbstbehauptung und Selbstbestimmung von Gruppen im Vordergrund stehen.

Man stelle sich eine Gruppe vor, deren Existenz ganz wesentlich an den Glauben ihrer Mitglieder an die Richtigkeit bestimmter Behauptungen gebunden ist. Als Beispiel hierfür kommen in erster Linie religiöse Gruppen in Betracht, die ihre Existenz auf das Leben und die Aussagen bestimmter Personen zurückführen. Leben und Reden solcher Religionsstifter sind dann meist in bestimmten „kanonisierten" Dokumenten schriftlich festgehalten. Diese Texte spielen für religiöse Gruppen eine wichtige Rolle. Sie dienen dem einzelnen als Orientierungs- und Lebenshilfe. Die gleiche Funktion haben sie auch für die Gruppe im ganzen. Der Rekurs auf bestimmte Textstellen ist ein wichtiges Instrument zur Konsenserhaltung und zur Konsensstiftung bei allen wichtigen Entscheidungen. Aber nicht nur für die Verständigung innerhalb der Gruppe sind diese Texte von Bedeutung, sondern

---

25 Baran, P. A., und Sweezy, P. M., Monopolkapital, Frankfurt/M. 1967, S. 179.

26 Vgl. hierzu neben Baran und Sweezy auch die umfangreiche historische Studie von Felming, D. F., The Cold War and its Origins, 1917—1960, 2 Bde., New York und London 1961.

auch für die Behauptung und Rechtfertigung ihrer Existenz nach außen. Personen oder Gruppen, die die Richtigkeit relevanter Teile von kanonischen Texten anzweifeln, werden unter diesen Bedingungen insbesondere deshalb kaum Aussichten auf friedlichen Verkehr mit solchen religiösen (Modell-) Gruppen haben, da sie in der Richtigkeit bestimmter orientierungsrelevanter gruppentypischer Urteile zugleich die Stabilität des Verhaltens einzelner und die Integrations- und Legitimitätsbasis der ganzen Gruppe und damit ihre Existenz in Frage stellen. Erst eine Reihe zusätzlicher Bedingungen würden dazu führen, daß das Existenzinteresse vom Interesse an der Richtigkeit und Gültigkeit bestimmter Urteile gelöst werden kann und Zweifel an der Richtigkeit dieser Urteile — von innen oder außen — nicht mehr notwendig Identitäts- und Existenzkrisen bewirken. Hierzu gehören insbesondere die Erschließung sekundärer (säkularisierter) Orientierungshilfen für das Einzelverhalten und die Entstehung einer textunabhängigen Integrations- und Konsensusbasis für das Verhalten der Gruppe im ganzen, beispielsweise gemeinsame wirtschaftliche Interessen.

Wie es sich mit der analytischen Nützlichkeit des vorgestellten Modells im einzelnen verhalten mag, sei hier dahingestellt. Sicherlich wird es in einer Gruppe immer mehrere Möglichkeiten und Ebenen der Konsensbildung und der Integration geben. Die politische Alltagserfahrung zeigt jedenfalls, daß das Problem der verbalen politischen Integration auch heute besteht, und das für Verbände, Parteien und ganze Gesellschaften gleichermaßen. Politische Ideologien, Weltanschauungen, aber auch schon Slogans und Schlagwörter erfüllen „uns allen vertraute praktisch-politische Zwecke: sie legen Richtungen und Meinungen fest, ermöglichen die Erfahrung politischer Zugehörigkeit und fixieren im Ganzen jene Aktions- und Zustimmungsbereitschaft, ohne die politisches Handeln nicht möglich wäre ...“ [27]

Auch heute besteht für politische Gruppierungen demnach eine gewisse faktische Notwendigkeit, ihre Identität und Legitimität zumindest nach außen an einen für sie typischen Schatz von Auffassungen zu binden als sprachliche Grundlage zur Mobilisierung von Massenloyalitäten. Da dieser ideologisch-weltanschauliche Restbestand für die Entscheidungen der Gruppenführung im einzelnen kaum noch verhaltensrelevant sein wird, es sei denn aus propagandistischen Gründen, wird hierfür weiter unten der Terminus „Manipulationsideologie“ eingeführt werden.

---

27 Lübbe, H., Der Streit um Worte. Sprache und Politik. Bochum 1967, S. 19.

Für das Geschäft der Vermittlung zwischen diesen, nach außen Selbstverständnis spendenden, allgemeinen Auffassungen — seien sie christlich-konservativ (CDU/CSU), sozial-reformistisch (SPD), liberal (FDP), nationalistisch (NPD) oder marxistisch (DKP) — und konkreten politischen Entscheidungen, auch „Kursänderungen", hat Heinrich Lübbe den Terminus „politische Hermeneutik" geprägt. „Politische Hermeneutik besorgt die fällige Anpassung der kanonischen Texte an die veränderte politische Lage. Im ... totalitären politischen Zusammenhang bilden sich dabei Interpretationsmonopole heraus, während Liberalisierungstendenzen überall dadurch charakterisiert sind, daß sich das Interpretationsmonopol zersetzt und die Mitglieder der Partei oder Bürgerschaft gleich unmittelbar zum ideologischen Text werden." [28] Während sich „totalitäre" Systeme durch zentrale Lenkung ihrer verbalen Selbstverständigung kennzeichnen lassen, dezentralisiert sich Sprachlenkung auf diesem Gebiet in „pluralistischen" Systemen, ohne jedoch an Wirksamkeit zu verlieren, geschweige denn ganz wegzufallen. [29] Auch hierauf wird noch zurückzukommen sein.

Von „Hermeneutik" spricht Lübbe in diesem Zusammenhang deshalb, weil eine Gruppe oder Gesellschaft seiner Meinung nach ihre Identität in einer Antwort auf die Frage „nach dem, wofür ihr Name steht" bestimmt. Und diese Antwort hat stets die Form einer „erzählten Geschichte". „Sie stellt sich als erzählte Reihe von Daten und Namen dar, als Bericht eines materiell basierten und ideologisch integrierten Ereignis- und Handlungsablaufs, der politische Identifikation oder Unterscheidung ermöglicht." [30]

Exkurs: Einige positionsinteressenbedingte Urteile

Für die Analyse einzelner Textbeispiele müssen die bisherigen Überlegungen an zwei Punkten ergänzt werden. Dies betrifft einmal die Interessenproblematik, zum anderen die Möglichkeiten der Textkritik als Kritik der sprachlichen und nichtsprachlichen Ursachen von Verständigungsproblemen.

---

28 ebd.

29 Vgl. hierzu auch Betz, W., Sprachlenkung und Sprachentwicklung, in: Sprache und Wissenschaft, Göttingen 1960, S. 85.

30 Lübbe, H., Hegels Kritik der bürgerlichen Gesellschaft, in: Schweizer Monatshefte, 3/1967, S. 238.

Zur Differenzierung der Redeweise „ein Interesse haben an" oder „im Interesse von" war oben der Terminus „Positionsinteresse" eingeführt worden. [31] Er soll eine Unterscheidung zwischen individuellen (privaten) Interessen einzelner und an (Berufs-)Positionen geknüpften (öffentlichen) Interessen ganzer Gruppen oder Organisationen ermöglichen.

Es wird hier nun davon ausgegangen, daß auf der Ebene gruppen- bzw. organisationstypischer Interessen (Handlungsziele) die unausgesprochenen Kommunikationsinteressen an Urteilen — ihrer Geltung und Verbreitung — in systematischem Zusammenhang mit solchen Positionsinteressen analysiert werden müssen. Anders ausgedrückt: auf der Ebene nicht bloß „privater" Interessen kann der Zusammenhang von Urteil und Interesse nun als Zusammenhang von Urteil, Interesse und Position untersucht werden. Damit ist gesagt, daß es analytisch sinnvoll ist, Interessen, die einzelne an der Geltung bestimmter Urteile im Bereich ihrer privaten Aktivitäten haben, abzuheben von Interessen an Urteilen, die einzelne „kraft Amt", d. h. kraft Mitgliedschaft in bestimmten organisierten Berufsgruppen oder sonstigen Organisationen (Parteien, Verbände, öffentliche Verwaltung) verfolgen.
Hinsichtlich der „Richtung" solcher Positionsinteressen können zwei allgemeine Möglichkeiten angenommen werden:

a) ein (defensives) Interesse an der Erhaltung bestimmter Positionen und/oder Organisationen; und, darüber hinausgehend,

b) ein (aggressives) Interesse an Einflußmaximierung, d. h. an Machterweiterung bestimmter Positionen und/oder Organisationen.

Die eben getroffene Unterscheidung scheint für eine Analyse der jeweils speziellen Gründe, die das Interesse an Geltung und Verbreitung bestimmter Urteile motivieren, nützlich zu sein. Eine Analyse dieser Gründe erlaubt möglicherweise Rückschlüsse auf längerfristige Strategien von Personengruppen oder Organisationen.

Nun zu den Möglichkeiten der Textkritik als Analyse der sprachlichen und nichtsprachlichen Ursachen von Verständigungsproblemen. Einer solchen Analyse stehen meines Erachtens prinzipiell zwei Wege offen, bei denen dann noch weitere Unterscheidungen vorgenommen werden müssen. Zunächst kann untersucht werden, inwiefern die in Texten enthaltenen Be-

---

31 Vgl. oben S.   Anm. 11.

hauptungen interpersonell begründbar sind. Dies kann wiederum auf zwei Weisen geschehen:

a) Texte können daraufhin untersucht werden, inwiefern sie logisch haltbare Behauptungen enthalten, d. h. Behauptungen, für deren Begründbarkeit ihre Form alleine ausschlaggebend ist.[32]

b) Texte können daraufhin untersucht werden, inwiefern in ihnen behauptungs- bzw. urteilsrelevante Informationen enthalten sind, die die im Text aufgestellten Behauptungen stützen oder schwächen. Das bedeutet auch, daß Texte daraufhin untersucht werden, an welchen Stellen (mangels Informationen oder durch deren bewußte oder unbewußte Unterschlagung) Vorurteile reproduziert werden.

Beide Aspekte dieses ersten Schrittes einer Textkritik lassen sich unter dem Stichwort „Informationsniveauanalyse" behandeln. Differenzen im Informationsniveau zwischen Autor und Leser können eine wichtige Gruppe von Ursachen für Verständigungsprobleme sein.

Dem stets vorhandenen pragmatischen Hintergrund des Sprachverhaltens wird aber nur gerecht, wer über diesen ersten Schritt der sprachkritisch orientierten Textanalyse als Analyse der in Texten enthaltenen urteilsrelevanten Informationen hinausgeht. Folgen muß ein zweiter Schritt als Analyse der an die Verwendung bestimmter Urteile (und Vorurteile) geknüpften (nichtverbalisierten) Kommunikationsinteressen. Hier muß wieder zweierlei unterschieden werden:

a) In Texten enthaltene Urteile können Ausdruck privater Interessen an Beeinflussung im Sinne der Erhaltung oder Erweiterung individueller Lebenschancen sein.

b) In Texten enthaltene Urteile können darüber hinaus auf Positionsinteressen ganzer Gruppen oder Organisationen zurückgeführt werden, die entsprechend der oben getroffenen Unterscheidung auf Positionserhaltung oder auf Einflußmaximierung gerichtet sind.

Die beiden Aspekte dieses zweiten Schrittes der Textkritik lassen sich unter dem Stichwort „Interessenanalyse" zusammenfassen.

Verständigungsprobleme zwischen Kommunikationspartnern (hier: Autor und Leser), die sich aus unterschiedlichen Interessen — seien sie politischer,

---

32 Vgl. hierzu als Leitfaden: Lorenzen, P., Methodisches Denken, Frankfurt/M. 1968, insbes. S. 24—59.

ökonomischer, wissenschaftlicher oder sonstiger Art — ergeben, stellen sicherlich das größere Problem dar. Denn, wo Konsens über gemeinsame Interessen herrscht, lassen sich Verständigungsprobleme aufgrund unterschiedlicher Informationsniveaus dadurch beheben, daß der besser Informierte seinen Informationsüberschuß dem weniger gut Informierten zugänglich macht, in einer Sprache, über deren Regeln sich beide ja vorher einigen können. Diese Art Sprachbarriere stellt insbesondere ein pädagogisches Problem dar, in das mögliche emotive Fixierungen auf bestimmte Urteile auf beiden Seiten — auf der Seite des Lehrenden wie auch der des Lernenden — einbezogen werden müssen. Wo jedoch Interessendifferenzen zwischen Kommunikationspartnern vermutet werden, kann schon der Versuch einer Einigung über Wortverwendungen scheitern. Im Falle solcher Interessendifferenzen sehe ich drei Wege, Verständigung zu ermöglichen:

a) Verständigung erfolgt nach einer verbindlichen Umdefinition bisheriger Interessen bei einem der (idealtypisch angenommen) zwei Kommunikationspartner.

b) Eine Annäherung der „Standpunkte" zweier Kommunikationspartner erfolgt auf dem Wege von Interessenkompromissen.

Eine dritte und radikalere Möglichkeit hat (u. a.) Karl Marx vorgeschlagen: (c) die Beseitigung von Interessendifferenzen und der davon abhängigen Sprachbarrieren (zwischen Kapitalisten und Proletariat) durch Beseitigung der sozial-strukturellen Ursachen von Interessenkonflikten, d. h. konkret gesprochen, die Beseitigung von ganzen organisierten Gruppen und der durch diese Gruppen verfochtenen Positionsinteressen an Machterhaltung und Profitmaximierung. Genau dies markiert die Marxsche Erweiterung der Sprachkritik (Ideologiekritik) zur Gesellschaftskritik und schließlich zum Versuch einer (revolutionären) Umgestaltung der von den bekämpften Interessen geprägten Gesellschaft.
Kurz zusammengefaßt, müßte eine sprachkritisch orientierte Textanalyse demnach folgende Fragen an einen Text herantragen:

a) Welche urteilsrelevanten Informationen sind in den Text eingegangen?

b) Wo lassen sich im Text emotive Fixierungen auf die Verwendung bestimmter Urteile feststellen; wo liegen Vorurteile, Stereotypen, Schematisierungen vor?

c) Welche urteilsrelevanten Informationen fehlen im Text und welche eventuell taktischen Gründe waren dabei wirksam?

d) In welcher Absicht gehen verbreitete Vorurteile in den Text ein?

e) Wer ist der Verfasser der untersuchten Texte; welche Lernmilieus hat er durchlaufen und welche Positionen hatte er zum Zeitpunkt der Niederschrift des Textes inne?

f) Inwiefern besteht ein Zusammenhang zwischen den positionsbedingten Abhängigkeiten und Interessen des Autors und der Unterschlagung bestimmter urteilsrelevanter Informationen und/oder der Verwendung bestimmter (Vor-)Urteile?

g) Welchen taktischen (privaten und/oder öffentlichen) Nutzen hat die Verbreitung bestimmter Urteile und ihre aus der Verbreitung möglicherweise folgende Entscheidungsrelevanz für einzelne in ihrer Rolle als Angehörige bestimmter Gruppen oder Organisationen?

Bei den nun zu analysierenden Beispielen handelt es sich um Textausschnitte. Entsprechend den in diesem Exkurs behandelten Problemen sollen die in den Textbeispielen enthaltenen Behauptungen nicht primär auf ihre „Richtigkeit" im Sinn einer interpersonellen Überprüfbarkeit untersucht werden. Es soll vielmehr primär der Frage ihrer „Nützlichkeit" nachgegangen werden. Ausgegangen wird dabei von der Vermutung, daß im Bereich der taktischen Verwendung von Urteilen Probleme ihrer Begründungsbasis zugunsten von Überlegungen hinsichtlich der mit ihrer Hilfe erreichbaren Handlungsziele (Interessen) vernachläßigt werden. Anders ausgedrückt könnte man diese Vermutung auch wie folgt formulieren: Der „taktische Wert" und der „Wahrheitswert" von Behauptungen können so auseinanderfallen, daß eine interpersonelle Begründung von Urteilen nur dort gefordert und geleistet wird, wo dies im Interesse bestimmter Beteiligter ist, d. h. wo dies zur Verfolgung ihrer (nichtverbalisierten) Ziele nützlich ist.
Hier nun das erste Textbeispiel:

> „Wesentlicher Bestandteil unserer Volkswirtschaft ist eine leistungsfähige Landwirtschaft als Grundlage der Volksernährung. Ihr wichtigster Träger — das dem eigenen Boden verbundene Bauerntum — ist zugleich ein Grundpfeiler des gesellschaftlichen und geistigen Lebens des Volkes."
>
> (aus: Hamburger Programm der CDU — 1953)

Bei diesem ersten Beispiel gilt es zunächst seine Herkunft zu beachten (e). Es ist dem Programm einer Partei entnommen, die zum Zeitpunkt der Texterstellung (1953) Regierungspartei war. In der damaligen (Kommunikations-)Situation — Parlamentsneuwahlen bei einer bisher nur knappen

Mehrheit der CDU/CSU-Fraktion — können diesem Programm mindestens zwei taktische Motive unterstellt werden. Einmal die Entwicklung von politischen Zielvorstellungen, mit denen sich die Masse der Parteimitglieder zu identifizieren vermag; zum anderen Stellungnahme zu politischen Problemen, deren „Färbung" eine Erhaltung und Erweiterung des Wählerreservoires ermöglichen. Die letztgenannte Absicht dürfte für die Aufnahme der zitierten Textstelle in das Parteiprogramm ebenso ausschlaggebend gewesen sein wie die Tatsache einer „grünen Front" innerhalb der CDU selbst. Stellt man nun die Frage nach dem taktischen Nutzen der beiden zitierten Sätze (g), so muß hierfür zunächst noch eine weitere Unterscheidung getroffen werden:

a) Gefragt werden kann nach dem taktischen Nutzen für den Sender (CDU).
b) Gefragt werden kann nach dem taktischen Nutzen für den anvisierten Empfänger (Bauernverband, in der Landwirtschaft Tätige, übrige Öffentlichkeit).

Die erste Behauptung, daß eine „leistungsfähige Landwirtschaft" ein „wesentlicher Bestandteil unserer Volkswirtschaft" und „Grundlage der Volksernährung" ist, hat wahrscheinlich einen relativ geringen taktischen Nutzen, da sie — zumindest damals — sicherlich kaum kontrovers war. Weder zwischen den verschiedenen Parteien noch zwischen den verschiedenen Wählergruppen. Dies gilt jedoch mit Sicherheit nicht für den zweiten Teil des Zitats. In ihm kommt eine verschwommene Eigentumsideologie („dem eigenem Boden verbunden") zum Ausdruck, mit der sich die CDU von der anderen großen Partei abzusetzen sucht. Weiter wird dort einer bestimmten Gruppe („Bauerntum") eine Bedeutung eingeräumt („Grundpfeiler des gesellschaftlichen und geistigen Lebens des Volkes"), die weder für die jüngere Vergangenheit noch für die Gegenwart begründet werden kann (c). Daß die in der Landwirtschaft Tätigen und ihr Verband ein Interesse an der Verbreitung solcher Sätze und an dem fälschlichen Glauben ihrer Richtigkeit haben, liegt auf der Hand. Damit ist nicht nur ihrem Prestige, sondern insbesondere auch der Legitimation ihrer Steuer- und Subventionsprivilegien gedient (g).

Das eben über die Rolle des „Bauerntums" im Hamburger Programm der CDU Gesagte — die dabei wirksamen Interessen und Nutzenerwägungen — gilt ähnlich, wenn auch in abgeschwächter Form, für die Rolle des „Mittelstandes", wie das folgende Zitat aus derselben Quelle belegt:

„Der Mittelstand ist für eine gesund gegliederte Gesellschaft ein unentbehrliches, aufbauendes und verbindendes Element. Tüchtige und verantwortungsfreudige Menschen sollen sich im eigenen Betrieb erfolgreich entfalten können."
(aus: Hamburger Programm der CDU — 1953)

Auch das folgende Textbeispiel entstammt einem organisationsoffiziellen Dokument:

Die „Kirche" bedeutet „Zeichen und Schutz der Transzendenz der menschlichen Person". Sie ist „in der Treue zum Evangelium gebunden an ihre Sendung in der Welt, und entsprechend ihrem Auftrag, alles Wahre, Gute und Schöne in der menschlichen Gesellschaft zu fördern."
(aus: Akten des 2. Vatikan. Konzils ... Kirche in der Welt von heute ... S. 29 f.)

War schon in den beiden ersten Textbeispielen eine sprachtaktisch-zustimmungsheischende Ausnutzung vager Worte und Formeln zu beobachten („wesentlicher Bestandteil", „wichtigster Träger", „Grundpfeiler des ... Lebens", „Volk", „gesund gegliedert"), so gilt dies im besonderen Maße für dieses dritte Beispiel. Hier behauptet eine Organisation von sich selbst, daß sie „alles Wahre, Gute und Schöne" zu fördern beabsichtigt, ohne daß hierfür explizite Bestimmungen angegeben werden. Dies gilt auch für den hier nicht zitierten Teil des Textes. Auch wenn man zugeben muß, daß gerade oft die Vagheit politischer Sprache ihre Interpretierfähigkeit, d. h. ihren taktischen Nutzen ausmacht, so sollte doch auf der anderen Seite nicht übersehen werden, daß Sprache hier in dem Maße Suggestivität gewinnt, wie sie an Verbindlichkeit verliert. Sie wird damit zum bloßen Instrument der Manipulation durch die, denen qua organisationsinterner Führungsposition ein Interpretationsmonopol zukommt. Der taktische Nutzen von Behauptungen, die vage und zugleich positiv besetzte Wörter oder Formeln enthalten, liegt darin, daß Zustimmung zu organisationstypischen Orientierungen suggeriert wird, ohne daß diese Orientierungen selbst expliziert oder gar begründet zu werden brauchen. Ein Interesse an solchen Behauptungen werden alle die haben, die bei stetigen Loyalitäten ihrer Mitglieder sprachliche Möglichkeiten für taktische Neuanpassungen an veränderte Situationen offenhalten wollen, ohne daß Organisationen oder Gruppen dadurch in ständige Identitätskrisen oder Diskussionen ihrer Handlungsbegründungen verwickelt werden. Vorherrschend dürfte hier also ein Interesse an Organisations- und Positionserhaltung sein.

In den Bereich der von Lübbe so genannten „politischen Hermeneutik" führt das nächste Textbeispiel:

> „Genosse Mao Tse-tung ist der größte Marxist-Leninist unserer Zeit. In genialer, schöpferischer und allseitiger Weise hat Genosse Mao Tse-tung den Marxismus-Leninismus als Erbe übernommen, ihn verteidigt und weiterentwickelt; er hat den Marxismus-Leninismus auf eine völlig neue Stufe gehoben."
>
> (aus: Lin Biao, Vorwort zur zweiten Auflage der Worte des Vorsitzenden Mao Tse-tung, Peking 1966, S. I.)

Der taktische Nutzen dieser zitierten Behauptungen muß sowohl innenpolitisch wie außenpolitisch gesehen werden. Außenpolitisch nützlich sind sie, weil an eine für zahlreiche Gesellschaften Selbstverständnis spendende und zur Außenbegründung ihres Handelns verbindliche Texttradition („Marxismus-Leninismus") angeknüpft wird und dies in einer Art geschieht, die einer bestimmten Person („Genosse Mao Tse-tung") das Monopol der „schöpferischen" Übernahme, Verteidigung und Weiterentwicklung dieser Texttradition zuweist. (Nur) Der Genosse Mao Tse-tung hat den Marxismus-Leninismus „auf eine völlig neue Stufe gehoben" (nicht die sowjetischen Revisionisten). Das Interpretationsmonopol gegenüber Texten, die die sprachliche Legitimation einer ganzen Reihe von Gesellschaften und insbesondere der Führung bestimmter Eliten innerhalb dieser Gesellschaften liefern, schließt zugleich einen Führungsanspruch innerhalb dieser (sozialistischen) Gesellschaften ein.

Bei einer bestimmten (chinesischen) Führungsgruppe liegt demnach ein außenpolitisch-aggressives Interesse an der Richtigkeit und der Verbreitung der zitierten Sätze vor, da sie sich mittels einer so formulierten sprachlichen Legitimationsbasis an die Spitze der sozialistischen Führungsgruppen und Gesellschaften zu schieben sucht.

Direkter aus dem Text ablesbar ist der innenpolitische Nutzen der zitierten Sätze und der übrigen in Lin Biaos Vorwort enthaltenen Urteile. Mit ihrer Hilfe soll die Führung einer Person (Mao) und der durch ihn symbolisierten Elite gefestigt und zugleich eine textgebundene politische Integrations- und Konsensbasis („Worte des Vorsitzenden") geschaffen werden. Die suggerierte Gedankenkette ist relativ unkompliziert: Der Marxismus-Leninismus ist die Orientierungsgrundlage jeder sozialistischen Politik, somit auch der (sozialistischen) Politik der „Volksrepublik China". Genosse Mao und die hinter ihm stehenden Führungsgruppe sind diejenigen, die unmittelbaren

Zugang zu dieser politischen Orientierungsgrundlage haben. Deshalb obliegt (nur) ihnen die textgerechte Interpretation und Weiterentwicklung der Werke von Marx und Lenin. Eine (wahrhaft) sozialistische Politik ist nur mit ihrer Hilfe möglich. Deshalb sind sie die legitimen Führer eines sozialistischen China.

Im Interesse an der massenhaften Verbreitung und Entscheidungsrelevanz der „Worte des Vorsitzenden Mao“ kommt daher ein innenpolitisch defensives Interesse an Positionserhaltung einer bestimmten Führungsgruppe zum Ausdruck und, davon abgeleitet, ein Interesse an der Beseitigung politisch-ideologischer Sprachbarrieren, d. h. ein Interesse an einer einheitlichen, von einer bestimmten Führungsgruppe kontrollierten, politischen Denkweise, Redepraxis, Willensbildung und Entscheidungsfindung. Die folgenden Zitate sollen zeigen, wie Lin Biao in einer massenhaften Indoktrination eines bestimmten Zeichen- und Urteilsrepertoires — einer Sprachdressur gigantischen Ausmaßes — Möglichkeiten zur Beseitigung von Verständigungsproblemen innerhalb ganzer Großgesellschaften sieht:

> „Die Ideen Mao Tse-tungs sind das Leitprinzip für die gesamte Tätigkeit der ganzen Partei, der ganzen Armee, des ganzen Landes. Demzufolge ist es die grundlegendste Aufgabe in der politischen und ideologischen Arbeit unserer Partei, immer das große rote Banner der Ideen Mao Tse-tungs hochzuhalten, das ganze Volk mit den Ideen Mao Tse-tungs zu wappnen und sich unbeirrbar bei jeder Tätigkeit von den Ideen Mao Tse-tungs leiten zu lassen. Die breite Masse der Arbeiter, Bauern und Soldaten sowie die große Masse der revolutionären Funktionäre und der Intellektuellen müssen die Ideen Mao Tse-tungs wirklich beherrschen, sie alle müssen die Werke des Vorsitzenden Mao Tse-tungs studieren, auf seine Worte hören, nach seinen Weisungen handeln, gute Kämpfer des Vorsitzenden Mao Tse-tungs werden.“ [33]

> „Um die Ideen Mao Tse-tungs wirklich zu meistern, muß man viele der grundlegenden Ansichten des Vorsitzenden Mao Tse-tungs immer wieder studieren; am besten ist es, einige seiner Sentenzen auswendig zu lernen, sie wiederholt zu studieren und wiederholt anzuwenden.

---

33 Lin Biao, Vorwort zur 2. Aufl. der Worte des Vorsitzenden Mao Tse-tung, Peking 1967, S. II.

Die Zeitungen müssen öfters Zitate aus den Werken des Vorsitzenden Mao Tse-tung in Verbindung mit der Praxis abdrucken, damit die Leser sie studieren und anwenden können.“ [34]

„In unserem großen Vaterland bricht eine neue Ära an, in der die Arbeiter, Bauern und Soldaten den Marxismus-Leninismus und die Ideen Mao Tse-tungs meistern. Sobald die breiten Massen die Ideen Mao Tse-tungs beherrschen, werden diese zu einem unversiegbaren Kraftquell und zu einer geistigen Atombombe von unermeßlicher Macht.“ [35]

---

34 ebd. S. III.

35 ebd. S. IV.

4.0 Sprache und Interaktion

Mit Hilfe der Sprache werden Erlebniswelten organisiert, formuliert und kommuniziert. Sprache ist zugleich notwendige Bedingung und wichtigstes Medium aller Interaktion. Ohne Sprache gäbe es keine Gruppenbildung und keine menschliche Aktivität jenseits einer bloß instinktgeleiteten Orientierung. Ohne Sprache wäre also weder die Bildung noch die Übermittlung dieser ganzen komplexen Sphäre möglich, die wir gewöhnlich mit Wörtern wie „Technik“, „Wissenschaft“, „Kultur“ bezeichnen. [1] Joyce O. Hertzler, der Autor der bisher umfangreichsten Arbeit zum Problembereich Sprachsoziologie, faßt die Bedeutung der Sprache für Interaktionsprozesse wie folgt zusammen: ”Language is fundamental to all social processes and to the persistance and maintenance of all social structures; it is involved in almost

---

1 Für die zentrale Bedeutung der Sprache bei der Konstitution und Kommunikation intersubjektiver Erfahrung vgl. Kamlah, W., Lorenzen, P., Logische Propädeutik ...; insbes. darin den Abschnitt über „Welt, Sprache, Rede“, S. 45 ff: „Die Sprache erschließt schon immer die Welt, wenngleich nicht in theoretischer Absicht. In dieser theoretischen Absicht wird die Welterschließung der Sprache *durch die Wissenschaft fortgesetzt.* Was aber verstehen wir unter ‚Welt‘? Wir können zunächst die Frage offenlassen, ob es eine Möglichkeit gibt, über unser sprachgebräuchliches Vorverständnis von ‚Welt‘ zu einem besseren Verständnis vorzudringen. Auch im Rahmen dieses Vorverständnisses können wir sagen, daß die Welt durch die Sprache erschlossen, nämlich durch Prädikatoren und Eigennamen ‚artikuliert‘, gegliedert wird.“

Grundlegend für die Aufdeckung dieser „transzendentalen“ Rolle der Sprache sind die Arbeiten Freges, Meads und Wittgensteins. Insbesondere die Arbeiten der an G. H. Mead anschließenden Richtung des „symbolischen Interaktionismus“ versuchen eine Verknüpfung zwischen sprachphilosophischen und sprachsoziologischen Ansätzen herzustellen. Vgl. hierzu Habermas, J., Zur Logik der Sozialwissenschaft, Tübingen 1967, S. 177: „Es hat einen guten Sinn, Sprache als eine Art Metasituation aufzufassen, von der alle gesellschaftlichen Institutionen abhängen; denn soziales Handeln konstituiert sich allein in umgangssprachlicher Kommunikation.“ Vgl. auch Dreitzel, Leiden ..., S. 269: „Der subjektive Ansatz einer sprachverstehenden Soziologie konzentriert sich zu Recht auf die oft vernachlässigte Bedeutung einer je individuellen, obschon im Kontext sym-

every act of social behavior. It is the one institution that every human being must master in order to function in any of the other institutionalized areas of social life.“ [2]

Sprache ist aber nicht nur *Bedingung* sondern immer auch schon *Produkt* sozialer Interaktion. Sprache als immer schon jeweils besondere Sprache einer Gruppe („Sprachgemeinschaft“), ist ein allgemein erlerntes System von Konventionen der *Zeichenbildung* (Regeln der Lautbildung und der schriftlichen Zeichenbildung), der *Zeicheninterpretation* (semantische Regeln), der *Zeichenverknüpfung* (syntaktische Regeln), und der situativ bedingten *Zeichenverwendung* (Zeichenverwendungsregeln). Mit Hilfe dieses Systems von Konventionen tauschen die Mitglieder einer (Groß-)Gruppe die ihnen interessanten und die für sie wichtigen Erfahrungen aus. Das Material dieses Systems sind standardisierte Symbole, die entweder als gesprochene

---

bolischer Interaktionsprozesse sich entfaltenden Interpretation der menschlichen Lebenswelt. Phänomenologische Beschreibung, Sprachsoziologie und ‚symbolic interactionism‘ haben hier ihre Gemeinsamkeit: die Regeln des sozialen Handelns sind die Regeln der Sprache, der Horizont des Verhaltens ist die Situation, die allemal einer subjektiven ‚Definition‘ zugänglich bleibt.“

Auf die Bedeutung solcher subjektiver (privater), situationsbezogener Interpretationen für individuelle Verhaltensweisen wurde in empirisch-soziologischer Absicht zuerst von W. I. Thomas hingewiesen (Vgl. ders., Person und Sozialverhalten, Neuwied und Berlin 1965). Die moderne Attitüdenforschung trägt dem zunehmend Rechnung. Vgl. hierzu als Beispiele, Gans, H. J., Urbanism and Suburbanism as Ways of Life: A Re-evalution of Definitions, in: Rose, A. M. (ed.), Human Behavior and Social Processes, London 1962; Goldthorpe, J. H. et alts., The Affluent Worker: Industrial Attitudes and Behavior, Cambridge 1968, insbes. S. 174—192.

Sprache wird aber nicht nur dort überall für Interaktionen wichtig, wo private oder gruppentypische, verhaltensrelevante Interpretationen sozialer Situationen vorgenommen werden — und dies ist ein permanenter Vorgang — sondern zweitens auch überall dort, wo (sprachlich vermittelte) Verhaltenssteuerung wirksam ist. Winch schreibt dazu: „Die Frage, was Sprache sei, ist eindeutig von grundlegender Bedeutung für die Soziologie, weil sie uns unmittelbar dem ganzen Problem gegenüberstellt, in welcher charakteristischen Weise sich die Menschen in der Gesellschaft gegenseitig beeinflussen.“ (Die Idee der Sozialwissenschaft ... S. 59). Aus dieser Perspektive kann die vorliegende Untersuchung als Versuch einer Analyse einiger Bedingungen sowohl der (a) hermeneutischen wie auch der (b) taktischen Aspekte sprachlicher und nichtsprachlicher Interaktionen verstanden werden.

2 Hertzler, J. O., A Sociology of Language, New York 1965, S. 20.

Rede die Form akustischer Signale oder als geschriebene Sprache die Form graphischer Symbole (Zeichen) annehmen können. Der entscheidende kommunikative Wert dieser Symbole liegt darin, daß sie als Träger mehr oder weniger eindeutiger Bedeutungen fungieren, mittels derer auch die in einer bestimmten Gesprächssituation nicht unmittelbar verfügbaren Erfahrungen rekonstruierbar und kommunizierbar sind. [3] Mit Hilfe der Sprache „objektiviert" eine Gruppe ihre gemeinsamen Erfahrungen, macht sie jedermann zugänglich. Sprache erlaubt die Akkumulation eines gemeinsamen Wissensschatzes, der durch die Erarbeitung neuer Erkenntnisse in allen Lebensbereichen beständig korrigiert und erweitert werden kann. Die Auseinandersetzung mit der Natur wird dadurch beträchtlich erleichtert, denn die Mittel ihrer technischen Verfügung müssen nicht notwendig immer wieder von neuem gesichert, sondern können gespeichert und fortlaufend verfeinert werden. [4] Sprachliche Interaktion hat jedoch neben der Rekonstruktion vergangener, der Konstruktion gegenwärtiger und der Antizipation zukünftiger Erfahrungen diese zweite wichtige Funktion als Medium der Vermittlung und als Instrument zur Ausarbeitung von Orientierungen für gegenwärtiges und zukünftiges Verhalten.

Sprache spielt — wie schon mehrfach angedeutet — beim Erlernen und Ausführen nahezu jeder Aktivität eine wichtige auslösende und begleitende Rolle. Menschliche Aktivitäten erschöpfen sich jedoch nicht in sprachlichem Verhalten. Lewis unterscheidet:

a) Handeln ohne Gruppensymbole,

b) Handeln vermittelt über nichtsprachliche Gruppensymbole,

c) sprachliches Handeln. [5]

Sprache erhält insofern unter diesen drei Klassen von Gruppentechniken einen besonderen Rang, weil Sprechen dasjenige Verhalten ist, mittels dessen

---

3 Vgl. Hertzler, A Sociology ..., S. 30 und S. 54: "The great human effect of language as the agency for the transmission of culture — especially knowledge and technology — across space and time, and hence as spacebinder and time-binder, is that all men (potentially, if not actually) are in interaction with each other, either negatively or positively. Furthermore, everyone can establish an association with his fellow men, one or many, near or far, dead, living or unborn."

4 Vgl. hierzu Berger, P. L. and Luckmann, Th., The Social Construction of Reality ..., S. 67 ff.

5 Lewis, Language ..., S. 95.

wir den Konsens über die anderen Verhaltensklassen herstellen. Sprachlich verständigen wir uns über Wortgebräuche und darüber, was als gemeinsame Information akzeptiert werden soll, worin die gemeinsamen Erfahrungen, Interessen, Werte und Ziele einer Gruppe liegen.[6] Anselm Strauss schreibt über die Rolle der Sprache bei der Gruppenbildung: „Die Umgangssprache bezeichnet gewöhnlich zwei Personen nicht als Gruppe, aber das betreffende Prinzip bleibt das gleiche, ob die Gruppen drei, zehn, hundert oder mehr Mitglieder haben. Diese sind in der Lage, an verschiedenen, koordinierten Tätigkeiten teilzunehmen, da sie eine gemeinsame Terminologie haben. Gruppen bilden sich um Punkte der Übereinstimmung, und dann entstehen neue Klassifikationen auf der Basis weiterer gemeinsamer Erfahrungen. Die Bildung einer menschlichen Gruppe ist deshalb ein symbolischer, nicht ein physischer Sachverhalt.“[7]

Strauss verweist hier noch einmal ganz allgemein auf den Zusammenhang zwischen sprachlichem Verhalten einerseits und der Identität und dem nicht-sprachlichen Verhalten einer Gruppe andererseits.[8] Auf der Ebene der „Nationalsprachen“ von Großgruppen war man auf diesen Zusammenhang schon sehr viel eher aufmerksam geworden. Nationalistische Strömungen nahmen sich deshalb oft ganz besonders gern der „Pflege“ ihrer „Muttersprache“ an.[9]

---

6 Vgl. Hertzler, A Sociology . . ., S. 63.

7 Strauss, Spiegel . . ., S. 162. Vgl. auch Hertzler, A Sociology . . ., S. 60: ”. . . every language has its basis in the common experiences of its historical and contemporary users. The language provides the generally accepted and more or less uniform identification, statement, classification, and interpretation of these experiences. It is the primary instrument in coping with them. The ability to assess, to reason about, and to transmit to posterity their successes and failures of comprehension and adjustment is a major factor in the existence of the members of the continuing group.“

8 Vgl. Vendryes, J., Language, New York 1925, S. 240: In any social group, whatever its nature and however large it may be, language plays a role of primary importance. It is the strongest of the bonds uniting the members of the group and is at the same time the symbol and safeguard of their common life. What instrument can have greater efficacy than language in affirming the individuality of the group? . . . Every member of the group has the feeling that he is speaking a language different from that of the neighbouring groups.“

9 Vgl. Hertzler, A Sociology . . ., S. 234 ff.

All dies bisher über den Zusammenhang von Sprache und Interaktion Gesagte darf jedoch nicht darüber hinwegtäuschen, daß eine gemeinsame Sprache eben nur eine unter anderen Bedingungen für friedliche Verständigung zwischen Gruppen und innerhalb von Gruppen darstellt. Es sind auch in der Gegenwart genug Fälle bekannt, in denen selbst eine gemeinsame Sprache nicht gewalttätige Auseinandersetzungen zwischen Gruppen verhindert, wenn diese aus nicht allein sprachlichen Differenzen — etwa der Privilegien, der Interessen oder der Hautfarbe [10] — entstehen. Ebenso kann man auf Beispiele wie die Schweiz verweisen, in der über Jahrhunderte hinweg bedeutende sprachliche Differenzen weder die nationale Einheit bedroht noch eine friedliche Kooperation behindert haben. [11] In einer Überschätzung der Rolle der Sprache für soziale Integration liegt möglicherweise auch ein grundsätzlicher Irrtum all derer, die sich zum Zwecke einer Verbesserung der sozialen Beziehungen auch über die nationalen Grenzen hinweg um die Einführung einer internationalen Plansprache bemühten. Denn weder Peanos „interlingua" noch Ogdens „basic english" noch Zamenhofs „esperanto" und die vielen weniger erheblichen Versuche zur Verbreitung einer künstlichen internationalen Verkehrssprache hätten, selbst nach erfolgreicher internationaler Verbreitung, nicht allein über die Sprache leisten können, was erheblich durch nichtsprachliche Faktoren beeinflußt wird: internationale Verständigung. [12]

Ganz allgemein wird die Rolle der natürlichen Sprache für die Solidarität und bei sozialen Konflikten eher so gesehen werden müssen, daß vorhandene Solidaritäten durch Identitäten der Sprache bestärkt und Konflikte

10 Vgl. Hughes, E. C., and Hughes, H. M., Where People Meet: Ethnic and Racial Frontiers, Glencoe 1952.

11 Vgl. Mayer, K., Cultural Pluralism and Linguistic Equilibrium in Switzerland, in: American Sociological Review, 16/1951, S. 157—163. Vgl. auch Cohen, M., Pour une Sociologie du Langage, Paris 1956, S. 36: »... il ne faut pas perdre de vue que le langage, fait essentiel dans le fonctionnement des sociétés, n'est pourtant que l'un des éléments de ce fonctionnement, que par conséquent des sociétés qui divergent par le langage peuvent au contraire concorder par ailleurs.«

12 Vgl. Lewis, Language..., S. 66: "It is probable that the immediate future will see a common bilingualism. For... there is a striking increase in the preservation and cultivation of national languages..." "For a long time to come therefore, bilingualism, if not trilingualism, may be necessary for many of us. Superimposed upon the language of infancy there will be a second or even a third language, acquired in adolescence or adult life."

durch sprachliche Differenzen verschärft werden können.[13] Bleibt man jedoch auf der Ebene der sprachlichen Interaktion, so wird man Whatmough zustimmen müssen, daß das Überleben von rund 3000 verschiedenen Sprachen bei zunehmenden technischen Erleichterungen der internationalen Mobilität und angesichts globaler Kommunikationsnetze einen Anachronismus und ein Hindernis für die Verständigung bedeutet.[14]

Sieht man nun jedoch einmal von der (internationalen) Differenzierung in eine Vielzahl natürlicher Sprachen ab und wendet sich stattdessen nur der Sprache einer „Sprachgemeinschaft" zu, so wird man beobachten können, daß nicht nur zwischen natürlichen Sprachen sondern auch innerhalb einer die gleiche natürliche Sprache sprechenden Gesellschaft ein babylonisches Sprachengewirr herrschen kann. "Each language has its own Tower of Babel."[15]

---

13 Vgl. hierzu auch Weber, Wirtschaft und Gesellschaft, Köln und Berlin 1964, S. 31: „Gemeinsamkeit der *Sprache*, geschaffen durch gleichartige Tradition von seiten der Familie und Nachbarumwelt, erleichtert das gegenseitige Verstehen, also die Stiftung aller sozialen Beziehungen, im höchsten Grade. Aber an sich bedeutet sie noch keine Vergemeinschaftung, sondern nur die Erleichterung des Verkehrs innerhalb der betreffenden Gruppen, also: der Entstehung von Vergesellschaftungen. Zunächst: zwischen den *Einzelnen* und *nicht* in deren Eigenschaft als Sprachgenossen, sondern als Interessenten sonstiger Art: die Orientierung an den Regeln der gemeinsamen Sprache ist primär also nur Mittel der Verständigung, nicht Sinngehalt von sozialen Beziehungen. Erst die Entstehung bewußter Gegensätze gegen Dritte kann für die an der Sprachgemeinsamkeit Beteiligten eine gleichartige Situation, Gemeinschaftsgefühl und Vergesellschaftungen, deren bewußter Existenzgrund die gemeinsame Sprache ist, stiften."
Die Tendenz, soziale Konflikte allein auf Probleme der (Umgangs-)Sprache zurückzuführen, ließe sich zumindest in der frühen Phase der von A. Korzybski gegründeten Schule der „Allgemeinen Semantik" (general semantics) beobachten. Vgl. hierzu als Beispiel die Arbeiten von St. Chase. Gegenüber diesem naiven sprachlichen Determinismus besteht Neuberts Kritik sicherlich zu Recht, wenn er schreibt: „Der Trugschluß der Semantiker besteht in der Überschätzung der Rolle der Sprache als Denken und Verhalten determinierende Kraft. Die Zusammenhänge zwischen Sprache und Gesellschaft werden vom semantischen Positivismus entstellt. Sprache erscheint als rational beeinflußbare Größe sui generis und nicht in Abhängigkeit von den Bedürfnissen einer sich ständig verändernden Gesellschaft." (Aus: Neubert, A., Semantischer Positivismus in den U. S. A., Halle 1962, S. 309)

14 Whatmough, J., Language. A Modern Synthesis, London 1956, S. 51.

15 Hertzler, A Sociology . . ., S. 300.

4.1 Soziale und sprachliche Differenzierung

Der französische Linguist Vendryes war einer der ersten Sprachwissenschaftler, der dem Phänomen der „Spezialsprachen" größere Beachtung schenkte. Das Vorhandensein von lokal variierenden „Dialekten" war auch zu seiner Zeit schon länger bekannt und auf Sprachatlanten registriert. Und für die Pflege der französischen „Hochsprache", genauer: der Sprache des literarisch gebildeten Bürgertums, wirkte seit den Tagen Richelieus die Académie Française. Die Unterscheidung zwischen „Dialekt", „Gemeinsprache" und „Hochsprache" reicht jedoch gegenüber der beobachtbaren Vielfalt von Sprachen, wie Vendryes sie in Paris feststellte, nicht aus. "In a city like Paris there are a number of different languages superimposed upon one another. The language of the drawing-room is not that of the barraks, nor the language of the bourgeoisie that of the working-classes; there is the jargon of the courts, and the argot of the faubourgs. These languages sometimes differ so much among themselves that you may know one of them quite well and yet understand nothing of another. This diversity is due to the complexity of social relations." Vendryes schließt daraus: "There are, therefore, as many languages as groups." [16]

Im folgenden sollen unterschieden werden:

a) Die Sprachen verschiedener geographischer Bereiche (Dialekte),
b) Sprachliche Differenzen, bedingt durch Unterschiede in der linguistischen Sozialisation innerhalb unterschiedlicher Lernmilieus (schichtenspezifische Sondersprachen),
c) Sprachen verschiedener (Berufs-)Rollenklassen (Fachsprachen),
d) sprachliche Folgen politischer Differenzierung (manipulative Sprachverwendung; Regionalisierung der Redepraxis in gruppenexterne und gruppeninterne Sprache).

---

16 Vendryes, Language ..., S. 234. Cohen führt dies noch etwas genauer aus: »Tout homme acquiert son langage dans un entourage social déterminé, désigné ici de la maniére la plus générale comme groupement ou groupe. La langue avec son fonctionnement général fondamentalement un, est indéfiniment variée suivant les divisions sociales; chaque groupe sociale a son individualité linguistique. Les degrés de différenciation sont extrêmement variables, leurs effets vont du simple sentiment d'un ou plusieurs traits particuliers jusqu'à la noncompréhension.« Vgl. auch Porzig, W., Das Wunder der Sprache, Bern 1964, S. 220 ff.; und insbes. Hertzler, A Sociology ..., S. 300.

Auf Dialekte soll hier nicht weiter eingegangen werden. Sie sind Produkte physischer und sozialer Isolierung, und es kann angenommen werden, daß in modernen Gesellschaften eine zunehmende geographische Mobilität und der Ausbau überregionaler Kommunikationsnetze, insbesondere der Ausbau des Radio- und Fernsehnetzes in Richtung auf einen allgemeinen Rückgang von Dialekten wirken. [17]

4.2 Differenzen in der linguistischen Sozialisation

Lewis vertritt in seiner schon mehrfach zitierten Arbeit über: "Language in Society" die These, daß die Geschichte der Zivilisation sich durch eine zunehmende „Intervention der Sprache" in alle Arten sozialen Verhaltens kennzeichnen läßt. [18] Während Sozialisation in „primitiven Gesellschaften" vorwiegend Erlernen nichtsprachlicher, manueller Fertigkeiten bedeutet, verlagert sich mit zunehmender Modernisierung einer Gesellschaft das Schwergewicht auf sprachliche Fertigkeiten. Lewis bringt dies mit einer parallelen Entwicklung in Verbindung, die auf eine Verlängerung der Lernprozesse über die Kindheitsphase hinaus drängt. Zunehmende Arbeitsteilung bedeutet für den einzelnen die Notwendigkeit, sich zu spezialisieren. Daneben hat die schnelle Entwicklung in Wissenschaft und Technik beschleunigtes Veralten einmal erlernter Kenntnisse und Fähigkeiten zur Folge. Beide Umstände — fortschreitende Arbeitsteilung und beschleunigtes Veralten des einmal Erlernten — bewirken, daß die (linguistische) Sozialisation, früher auf die Kindheit beschränkt, sich zu einem lebenslangen Prozeß ausweitet. "This ... lifelong education in language is indeed one aspect of what we have called linguistic revolution." [19]

---

17 Vgl. Hertzler, A Sociology ..., S. 311.

18 Lewis, Language ..., S. 12.

19 Lewis, Language ..., S. 14. Vgl. hierzu auch ebd., S. 1: "We are in the midst of a Linguistic Revolution. During the last fifty years every major change in the lives of men in society has been affected by the growth of physical communication; no less by the development of linguistic communication ..." "In the progress of man's command over language there have been four advances, all of great significance in the history of his life and thought; the development of language itself, the advent of writing, the invention of printing, and now today the instantaneous transmission of speech and writing. The Linguistic Revolution is the cumulative effect of all these four changes ..." Vgl. auch

Lewis vergißt darauf hinzuweisen, daß der von ihm beschriebene Prozeß der „linguistischen Revolution“ auch in modernen Gesellschaften nur einen Bruchteil der Bevölkerung erfaßt. Er übersieht die Folgen unterschiedlicher Lernmilieus und Bildungschancen für die linguistische Sozialisation der einzelnen. Lewis übersieht, mit anderen Worten, die vertikalen soziokulturellen Differenzen moderner Gesellschaften, die gemeinhin mit dem Stichwort „soziale Schichtung“ angesprochen werden, und die damit zusammenhängenden Unterschiede im sprachlichen Milieu.
Der Zusammenhang von schichtspezifischer, frühkindlicher Erziehung einerseits und dem Erlernen schichtspezifischer Sprachfertigkeiten andererseits ist eines der zentralen Probleme der neueren empirisch-experimentellen Sprachsoziologie. Insbesondere die Arbeiten von Basil Bernstein legen nahe, daß zwischen Mittelschicht und Unterschicht (working class) signifikante sprachliche Differenzen bestehen. Bernstein ist der Auffassung, daß diese sprachlichen Differenzen nicht nur den Umfang des Vokabulars, die Komplexität der Satzstruktur und die Fähigkeit zur Abstraktion betreffen. [20] Schichtenspezifisches Sprachverhalten bedingt als eine von den kognitiven Fähigkeiten unabhängige Variable auch die Lernfähigkeit der einzelnen und ihre Erfolgschancen, im an der „formalen Sprache“ der Mittelschicht orientierten Bildungssystem moderner Gesellschaften wie etwa dem Großbritanniens oder der Vereinigten Staaten. Bernstein kommt zum Schluß: „Wenn der Sprachgebrauch tatsächlich eine wichtige Variable darstellt, die das Niveau der funktionellen Fähigkeit bestimmt, dann hat die dem Kind aus der Arbeiterklasse angemessene Art der Schulbildung noch nicht einmal begonnen.“ [21] Die u. a. von Bernstein und für die Bundesrepublik von Oevermann erbrachten empirischen Befunde sprechen für die Richtigkeit der These. [22] Der durch vertikale soziale Distanz bewirkten sprachlichen

---

Weber, Wirtschaft ..., S. 1087: „Heute ist nun einmal nicht das eigene Dreinschlagen mit dem Schwert, sondern sind ganz prosaische Schallwellen und Tintentropfen: geschriebene und gesprochene Worte, die physischen Träger des leitenden (politischen und militärischen) Handelns.“

20 Bernstein, B., Soziokulturelle Determinanten des Lernens, in: Kölner Zeitschr. für Soziologie und Sozialpsychologie, Sonderheft Soziologie der Schule 1960, S. 62. Für eine ausführlichere Behandlung dieser Problematik vgl. B. Badura/P. Gross, Artikel „Sprachbarrieren“, in: Althaus/Henne/Wiegand, Lexikon der germanistischen Linguistik, in Vorbereitung.

21 Bernstein, Soziokulturelle Determinanten ..., S. 72.

22 Vgl. hierzu Bernstein B., Language and Social Class, in: British Journal of Sociology, 11/1960, S. 271—276; und Oevermann, U., Schichtspezifische Formen

Zweiteilung geschichteter Gesellschaften muß um so mehr Bedeutung beigemessen werden, wenn man sich an die oben erläuterte strategische Rolle erinnert, die der Sprache bei der Konstruktion, Verarbeitung und Kommunikation der Erfahrungswelt und damit auch bei der Entwicklung der kommunikativen Fähigkeiten des einzelnen zukommt. [23]

Schatzmann und Strauss waren schon relativ früh auf ähnlich signifikante Differenzen im sprachlichen Verhalten Erwachsener aus der Unter- und Mittelschicht gestoßen. [24] Auch hier beschränkten sich die Unterschiede nicht auf den Reichtum des Wortschatzes und die grammatische Korrektheit der Ausdrucksweise. Differenzen ließen sich darüber hinaus auch bei wichtigen kommunikativen Fähigkeiten nachweisen, wie (a) Anzahl und Art der im (Interviewer-)Gespräch gebrauchten Perspektiven, (b) Fähigkeiten sich in die Rolle des Zuhörenden hineinzuversetzen, (c) Behandlung von Klassifikationen, (d) Bezugsrahmen und stilistische Gestaltung kommunikativen Verhaltens. [25]

Die Arbeiten von Bernstein und von Schatzmann und Strauss legen die Vermutung nahe, daß Angehörige der Unterschicht nicht nur eine andere Sprache als die Angehörigen der Mittel- und Oberschicht sprechen – was Zeichenrepertoire und Grammatik betrifft. Unterschiede scheinen sich auch in ihrem Verhältnis zur Sprache auszudrücken, in unterschiedlichen Graden der Instrumentalisierung und Arten des Einsatzes von Sprache, und damit in unterschiedlichen Weisen der sprachlichen Welterschließung überhaupt. [26]

---

des Sprachverhaltens und ihr Einfluß auf die kognitiven Prozesse, in: Deutscher Bildungsrat, Gutachten und Studien der Bildungskommission, Stuttgart 1969; und ders., Sprache und soziale Herkunft, Berlin 1969.

23 Vgl. Bernstein, B., Social Class and Linguistic Development: A Theory of Social Learning, in: Halsey, Floud, Anderson, Education, Economy and Society, Glencoe 1964 (4. Auflage) S. 288: "Speech marks out what is relevant — affectively, cognitively and socially — and experience is transformed by that which is made relevant... that certain linguistic forms involve for the speaker a loss or an acquisition of skills — both cognitive and social — which are strategic for educational and occupational success, and these forms of language use are culturally not individually determined."

24 Schatzmann, L., and Strauss, A., Social Class and Modes of Communication, in: American Journal of Sociology, 60/1955, S. 329—338.

25 Schatzmann/Strauss, Social Class..., S. 330.

26 Vgl. hierzu, Bernstein, Social Class..., S. 302. Bernstein unterscheidet neben der „formalen“ Sprache (formal language) der Mittelschicht die „öffentliche“ Sprache (public language) der Unterschicht. Diese öffentliche Sprache der Unter-

Dies alles deutet auf eine relative Benachteiligung der Unterschicht, bedingt durch ihre milieutypische linguistische Sozialisation. Diese relative Benachteiligung betrifft nicht nur die sozialen Vergütungen, die ihnen wegen ihrer andersartigen kommunikativen Fähigkeiten vorenthalten bleiben. Sie betrifft auch ihre allgemeinen kulturellen und politischen Teilnahmechancen. Allein der reduzierte Wortschatz der Arbeiterklasse, ihre geringe Fremdwörterkenntnis, versperrt ihnen den Zugang zur anspruchsvollen politischen Information jenseits vom Niveau der „Bild-Zeitung". Denn der Begriff des Fremdwortes geht bei Arbeitern möglicherweise sehr weit. Er ist nicht an die fremdsprachliche Herkunft des Wortes gebunden, sondern umfaßt alle Wörter, die unverständlich und unbekannt sind und nicht im Sinnzusammenhang begriffen werden. [27] In dieser sprachlich bedingten Reduktion der

---

schicht kennzeichnet er folgendermaßen: "The implications are logical, social and psychological. It is suggested that a correlate of this linguistic form is a relatively low level of conceptualization, an orientation to a low order of causality, a disinterest in processes, a preference to be aroused by, and respond to, that which is immediately given, rather than to the implications of a matrix of relationships; and that this partly conditions the intensity and extent of curiosity as well as the mode of establishing relationships. These logical considerations affect what is learned and how it is learned, and so affect future learning. A preference of a particular form of social relationship is engendered; a form where individual qualifications are non-verbally communicated, or mediated through the limited possibilities of a *public* language; a preference for inclusive social relationship and a great sensivity to the demands of solidarity with the group, which differs from the relationship to the group that is mediated through a *formal* language. There exists a socially induced conservatism and resistance to certain forms of change, which contrasts with an interest in novelty. There will be a tendency to accept and respond to an authority that inheres in the form of the social relationships rather than in reasoned or logical principles ..."

27 Vgl. hierzu Rothenburg, H., Spricht unsere Publizistik den Arbeiter an? Berlin 1958, S. 61; und Oevermann, Schichtspezifische ..., S. 304: „Trotz der häufigen Rede von den informellen Gruppen im Betrieb verbindet den Arbeiter wenig mit seinem Arbeitsplatz und mit seinen Arbeitskollegen ... So ist er einerseits in lockere, zur Solidarität verpflichtende Beziehungen zu seinen Kollegen und andererseits in eine rigide, autoritär strukturierte Rollenbeziehung zu seinen Vorgesetzten eingebunden. Ihr muß er sich fügen, will er nicht seinen Arbeitsplatz verlieren. Er trifft also am Arbeitsplatz auf ein streng vorgegebenes, quasi ritualisiertes Beziehungsmuster, das ihm keinen Spielraum und nur wenig Handlungsalternativen beläßt. Entsprechend eingeschränkt bleibt sein Erfahrungshorizont, der in den Mittelschichtberufen eher ständig erweitert wird."

politischen Informationschancen könnte eine Wurzel des politischen Konservatismus der Arbeiterschaft liegen. Schichtenspezifische Differenzierung der Sprache ist nicht nur ein Reflex sozialer Ungleichheit, sondern sehr wahrscheinlich zugleich auch ein wichtiges Mittel zu ihrer Erhaltung. [28]

4.3 Sprachen verschiedener Berufsrollenklassen

So viele Gründe gegen das faktische Stattfinden einer „linguistischen Revolution" im Bereich der Redepraxis der Unterschicht geltend gemacht werden können, so viele Gründe sprechen für sie im Bereich der „Fachsprachen", im Bereich der Sprachen also, die die Mitglieder der Mittel- und Oberschicht auf den Gymnasien, den Universitäten und schließlich in ihrer beruflichen Sozialisation erlernen. Schon de Saussure hatte zu Beginn des Jahrhunderts festgestellt: „Ein fortgeschrittener Grad der Kultur begünstigt die Entwicklung gewisser Spezialsprachen." [29] Und ganz im Sinne von Lewis schreibt Sommerfelt: »L'évolution matérielle et spirituelle d'une société est suivie de l'apparition d'un grand nombre de mots nouveaux et de sens noveaux qui ont des répercussions sur d'autres parties du système linguistique, fait charactéristique du développement linguistique de l'Europe

---

28 Oevermann faßt zusammen: „Die soziale Lebenswelt im subkulturellen Milieu der Unterschicht beschränkt sich im wesentlichen auf das dichte Netz der Primärbeziehungen im erweiterten Verwandschaftssystem, in der Nachbarschaft und zu wenigen alten Freunden ... Aus diesem Netz tritt man nur ungern heraus, um etwa Kontakte mit Fremden aufzunehmen oder neue Bekanntschaften zu machen. Man sucht die enge durch Solidarität geprägte, partikularistische Sozialbeziehung, von deren Bestand man sich nicht durch stetige Diskussion und Interpretation vergewissern muß, sondern die aus der gemeinsamen relativen Ohnmacht, Hilflosigkeit und Unsicherheit gegenüber der „Außenwelt" gegeben ist. Diese partikularistisch-solidarischen Sozialbeziehungen bilden gleichsam den defensiven Rückzugspunkt gegenüber der undurchschaubaren, nach universalistischen Kriterien organisierten Außenwelt der Institutionen und Behörden, die soziale Insel, auf die man sich in Sicherheit unter seinesgleichen zurückziehen kann und nach außen solidarisch geschützt wird." (ebd. S. 305)

29 De Saussure, F., Grundfragen der Allgemeinen Sprachwissenschaft, Berlin 1967, S. 25. Diese Arbeit erschien in 1. Auflage posthum 1916.

et des langues de toutes les sociétés de notre temps qui sont envahies par l'industrialisation et la civilisation occidentale moderne.« [30]

Ob Arzt, Jurist, Fußballspieler oder Soziologe, Wissenschaften und Berufsklassen haben ihren spezifischen Erfahrungs- und Problembereich, die zu von der Umgangssprache abweichenden Präzisierungen und Neuschöpfungen von Wörtern nötigen. Fachsprachen sind ein Produkt der für hochdifferenzierte Gesellschaften fundamentalen Unterscheidung zwischen „Laien" und „Fachleuten". Die Kenntnis bestimmter oft sehr komplizierter Terminologien wird zur notwendigen Grundlage jeder Ausbildung in Wissenschaft und Technik, wie überhaupt jeder spezialisierten Tätigkeit. Nur noch der „Fachmann" ist in der Lage, sich im Dschungel moderner Terminologien zurechtzufinden. Und diese fachsprachliche Differenzierung ist ständig, oft mit jeder neuen Erkenntnis, jeder neuen Entdeckung und Erfindung, im Zunehmen begriffen, der sprachlichen Phantasie sind offenbar keine Grenzen gesetzt. Auch im Anwendungsbereich wissenschaftlicher Informationen, im Bereich der „technischen Sprachen", stellt Ischreyt mehrere Sprachschichten fest: eine „wissenschaftliche", eine „Verkäufer-" und eine „Werkstattsprache". Diese Sprachschichten sind selbst noch einmal in sich differenziert, je nach angewandten technischen Verfahren und Branchenunterschieden. [31]

Die ständige Erweiterung und Differenzierung der Fachsprachen ist ein Ergebnis moderner Arbeitsteilung und Rollendifferenzierung, und der (berufs-)rollentypischen Distribution sozial relevanter Kenntnisse und sprachlicher Fertigkeiten. Der Sprache kommt nicht nur beim Erlernen von Rollen eine zentrale Bedeutung zu [32], Sprache selbst ist oft ein wichtiger

---

30 Sommerfelt, A., Structures linguistiques et Structures des Groupes Sociaux, in: Diogène 51/1965, S. 191 f.

31 Ischreyt, H., Studien zum Verhältnis von Sprache und Technik, Düsseldorf 1965, S. 39.

32 Gerth, H., and Mills, C. W., Character and Social Structure, New York 1964, S. 83: "A person is composed of an internalization of organized social roles; language is the mechanism by which these internalizations occur. It is the medium in which these roles are organized. Now, we have defined role as a conduct pattern of a person which is typically expected by other persons. It is an expected pattern of conduct. The roles a person plays thus integrate one segment of his total conduct with a segment of the conduct of others. And this integration of persons, and of the roles they expect of one another, occurs

Bestandteil der Sozialisation in einen bestimmten Beruf. Man kann daher mit Recht von (Berufs-)Rollensprache sprechen als der Sprache einer Klasse bestimmter ähnlicher Tätigkeiten einer Gesellschaft. Rollensprache meint die Aktivierung eines bestimmten, für das Rollenspiel typischen oder wichtigen Zeichenrepertoires. Es handelt sich um sprachliche Reaktionen, die ebenso zum Erwartungshorizont einer Rolle zu zählen sind, wie ein bestimmtes nichtsprachliches Verhalten. "It amazes us all when a policeman knows about first folios and second quartos in Shakespeare publication, or when a Shakespeare scholar knows about muggers and bennies. Our society differentiates into many roles, each having special concerns and special vocabulary. To the degree that a group is socialy homogeneous, with the same concerns shared by all, the same vocabulary should be shared by all.“ [33]
Ebenso wie der einzelne über mehrere Rollen verfügt, verfügt er auch über mehrere entsprechende Rollensprachen, deren Mobilisierung von der jeweiligen Rolle, der jeweiligen Situation und dem jeweiligen Gesprächspartner abhängt. Gegenüber kleinen Kindern neigt man in seiner Rolle als Vater, Bruder etc. zur „Babysprache“, gegenüber Berufsgenossen zum professionellen Jargon. In der Familie wird man sich bei bestimmten Gelegenheiten einer jeweils familientypischen Intimsprache, unter Studenten des „collegeslangs“, unter Brüdern des Freimaurerordens dessen Geheimsprache bedienen. [34]

Inwiefern und in welchem Umfang sprachliche Abweichungen von bestimmten Sprachkonventionen — sprachliches „Aus-der-Rolle-fallen“ — Sanktionsmechanismen auslösen, wird von der jeweiligen Rolle und der jeweiligen Situation abhängen. Daß jedoch auch Sanktionen auf lediglich sprachliche Abweichungen erfolgen können, weiß jeder Soldat, der auf dem Kasernenhof statt: „Jawohl, Herr Leutnant“, „jawohl, Herr Maier“, sagt, und das weiß auch jeder Prüfling, der es in einem akademischen Examen versäumt, sich in die jeweils erwünschte Sprache des Prüfers einzuüben, um nur zwei Beispiele zu nennen.

---

by means of language. For it is largely by a language of vocal gestures that we know what is expected of us ...“ Vgl. auch Strauss, A., The Learning of Roles and of Concepts as Twin Processes, in: Journal of Genetic Psychology, 88/1956.

33 Brown, R., Words and Things, Glencoe 1958, S. 256.

34 Vgl. Meerloo, Conversation ..., S. 68.

Ganz allgemein wäre noch zum Problem der Rollensprache zu sagen, daß die sprachlichen Aspekte von Rollen in der modernen Rollenanalyse, mit wenigen Ausnahmen, noch viel zu wenig beachtet werden. [35] Auf den besonderen Apekt der Positionsrollensprache wird unten (S. 167 ff) noch zurückzukommen sein.

Wissenschaftliche Terminologien und technische Nomenklaturen dienen der präzisen Kommunikation im Bereich der Forschung, der Produktion und des Verkaufs. Sie können neben dieser wohlbegründeten kommunikativen Funktion auch eine andere (soziale) Funktion erfüllen, nämlich die, Respekt und Ehrfurcht bei all denen hervorzurufen, die sie nicht verstehen. Naive Wissenschaftsgläubigkeit kann hier zu kommerziellen oder politischen Zwecken ausgenutzt werden. Dies geschieht, wenn sich Reklame fachsprachlicher Termini bedient, um die Vorzüge neuer Waren zu suggerieren. [36] Dies geschieht aber auch, wenn in der Politik, interessenbedingte Entscheidungen mit „Sachzwängen" in einer meist stark mit ökonomischen Termini durchsetzten Sprache gerechtfertigt werden. Durch die Wahl einer nicht allgemein verständlichen Sprache werden dann politische Sachverhalte der öffentlichen Kontrolle entzogen. An die Stelle der Begründung tritt eine nicht hinterfragte und für viele nicht hinterfragbare Autorität der „Fachleute". [37] Nach Meerloos Meinung ist die Art der wissenschaftlichen Ausbildung hierfür nicht ganz unschuldig: "The veneration of nonunderstanding is the paradox of intellectualisation. We only need to glance at boring scientific texts to see that, unofficially, our educational institutions graduate many students into the fields of obscurantism." [38]

---

35 Vgl. hierzu Oevermann, U., Schichtspezifische ..., S. 331 ff. und die dort angegebene Literatur; und Geissner, H., Soziale Rollen als Sprechrollen, in: Allgemeine und Angewandte Phonetik, Hamburg 1960.

36 Vgl. Klaus, Die Macht ..., S. 38.

37 Vgl. Lübbe, Der Streit ..., S. 20.

38 Meerloo, Conversation ..., S. 184. Vgl. hierzu als Beisziel die Mills'sche Kritik an dem Vokabular der Systemtheorie von Talcott Parsons in: Mills, C. W., Kritik der soziologischen Denkweise, Neuwied und Berlin 1963, S. 64 ff. Und Hayakawa, S. I., Semantik, Darmstadt 1967, S. 377: „Ein gelehrtes Vokabular hat zwei Funktionen: erstens hat es die *Kommunikationsfunktion*, indem es Gedanken Ausdruck verleiht ... zweitens hat es die *soziale Funktion*, seinen Lesern Ansehen zu verschaffen und Respekt und Ehrfurcht bei denen hervorzurufen, die es nicht verstehen ... Als allgemeine Regel kann festgestellt wer-

4.4 Sprachliche Folgen politischer Differenzierung

Bisher wurde sprachlichen Folgen nachgegangen, die sich aus sozio-kulturellen Ungleichheiten ergeben. Die hier festgestellten Unterschiede wurden ganz allgemein auf Unterschiede in der Art und in der Dauer der linguistischen Sozialisation zurückgeführt. Es ist dabei darauf hingewiesen worden, daß diese Unterschiede nicht nur die Redepraxis der einzelnen betreffen, sondern darüber hinaus möglicherweise ihr Verhältnis zur Sprache überhaupt. Das meint insbesondere ihr Verhältnis zu den instrumentalen Möglichkeiten, die die Sprache als Mittel der Analyse und als Medium praktisch-politischer Orientierungen und Teilnahme bietet. Anschließend wurde auf die fachsprachliche Differenzierung eingegangen. Dieser Vorgang muß als sprachliche Folge der zunehmenden Spezialisierung in Wissenschaft und Technik begriffen werden. Und es muß hier noch einmal betont werden, daß Zugang und Handhabung komplizierter Terminologien, insbesondere aus dem Bereich wissenschaftlicher Analyse, eine linguistische Sozialisation voraussetzt, die in der Bundesrepublik, wie auch in anderen „Industrienationen", normalerweise nur bei dem geringen Prozentsatz von Hochschulabsolventen gegeben sein kann.[39] Abschließend muß auf eine letzte relevante soziale Differenzierung eingegangen werden, die auf das sprachliche Verhalten wirkt.

Politische Differenzierung meint ganz allgemein soziale Differenzierung in eine Minderheit (der Herrschenden) mit der Chance, politische Orientierungen auszuarbeiten und durchzusetzen, und in eine Mehrheit (der Beherrschten), die — je nach formellen und nicht-formellen Regelungen — mehr oder weniger starken Einfluß auf Ausarbeitung und Durchsetzung

---

den, daß die Kommunikation leidet und der Jargon immer dann überhand nimmt, wenn die soziale Funktion eines gelehrten Vokabulars für seine Benutzer wichtiger als dessen kommunikative Funktion wird..." Hayakawas Terminologie ist sehr unglücklich gewählt. Mit „Kommunikationsfunktion" und „sozialer Funktion" sind wohl der kommunikative Aspekt und der Prestigeaspekt der Sprache gemeint. Schließlich ist die „kommunikative Funktion" der Sprache auch ihre wichtigste soziale Funktion.

39 1961 waren in der BRD 1,6 Prozent der Wohnbevölkerung Akademiker. Vgl. Statistisches Bundesamt, Volks- und Berufszählung vom 6. Juni 1961, Heft 2, S. 32, Tab. 14.

solcher Orientierungen nehmen kann. Wo eine solche Differenzierung vorhanden ist, stellen sich auch Probleme der Loyalität der Beherrschten gegenüber den Herrschenden, [40] oder anders ausgedrückt: Probleme der Identifikation einer (Groß-)Gruppe im Ganzen mit Entscheidungen der (Groß-) Gruppenführung.

Potentielle oder aktuelle Träger politischer Entscheidungen sind in der Bundesrepublik Parteien, die zumindest alle vier Jahre auf Loyalitäten bei den Wählern angewiesen sind. Wahlverhaltensrelevante Loyalitäten suchen die Parteien u. a. mittels solcher Praktiken zu erhalten oder zu erweitern, auf deren bewährtem Einsatz die moderne Massenreklame basiert. Im Vordergrund steht dabei der Mechanismus der Persuasion mittels „öffentlichkeitswirksamer" Wörter und Slogans. Hier kann auf das verwiesen werden, was im Abschnitt über taktisch-persuasiven Wortgebrauch gesagt wurde. Im Einklang mit dem dortigen Sprachgebrauch definiert Brown „Persuasion" (persuasion) als „Symbolmanipulation" in der Absicht, bei den Angesprochenen ein bestimmtes Handeln auszulösen. [41] Persuasion kann jedoch nur dann wirksam werden, wenn es vorher gelungen ist, überhaupt Kommunikation zwischen Sender und Empfänger herzustellen und das angebotene Produkt — hier die zu wählende Partei — ausreichend zu kennzeichnen. [42]

---

40 Vgl. Mills, C. W., Die amerikanische Elite, Hamburg 1962, S. 352: „Den stereotypen Leitbildern, die man unter dem Begriff ‚Loyalität' zusammenfaßt, liegen Ansichten und Gefühle zugrunde, die bestimmten Symbolen und Emblemen gelten. Sie geben die Form, in der der Mensch seine gesellschaftliche Umgebung sieht, und lenken ihn bei der Bildung seiner Meinungen über die Ereignisse. Sie sind das Ergebnis früher Erfahrungen, das die gegenwärtigen und zukünftigen Erfahrungen beeinflußt. Es versteht sich von selbst, daß sich der einzelne dieser Loyalitätsgefühle häufig nicht bewußt ist und meist auch gar nicht in der Lage ist, diese Gefühle in Worte zu fassen. Aber diese stereotypen Klischees rufen die Annahme oder Ablehnung bestimmter Meinungen hervor, und zwar ist hier nicht so sehr die logische Schlüssigkeit als vielmehr ihre emotionale Übereinstimmung mit dem Leitbild maßgebend. Ganz bestimmte Komplexe von Meinungen und Gefühlen werden zu einer vorgezeichneten Haltung und lösen Emotionen aus, die die Meinungsbildung des Menschen bestimmen."

41 Brown, Words . . ., S. 299.

42 Vgl. hierzu Platte, Werbung . . ., S. 548.

Es liegt auf der Hand, daß unter solchen Bedingungen der politische Informationswert von Wahlkampfparolen gegen Null tendiert. Hierzu einige Beispiele:

> „Unsere Sicherheit — CDU"
> (Wahlkampf 1965)
> „Sicher ist sicher — SPD"
> (Wahlkampf 1965)

Demgegenüber nehmen sich einige Slogans der FDP für den Wahlkampf 1969 zwar originell aus, dennoch tritt auch hier nicht politische Information an die Stelle von Suggestion, wenn der Wähler aufgefordert wird:

> „Seien Sie kein Kiesinger, entscheiden Sie sich"

oder

> „Wähle F.D.P., bevor es ein anderer tut."

Die Frage, ob sich solche Werbepraktiken noch mit dem GG., Art.21, Abs. 1:

> „Die Parteien wirken bei der politischen Willensbildung des Volkes mit",

vertragen, kann hier nur noch rhetorisch gestellt werden.

Habermas spricht in Bezug auf die moderne Wahlpropaganda von einem „Janusgesicht der Aufklärung und der Lenkung, der Information und der Manipulation" [43]. Noch treffender charakterisiert Marcuse Beispiele wie die oben angeführten als „magisch autoritäre und rituelle Elemente" einer „Sprache der totalen Verwaltung". Die Tendenz zur Funktionalisierung, Abkürzung und Vereinheitlichung im „Universum der öffentlichen Sprache" [44] diagnostiziert er als „Sprache des eindimensionalen Denkens" [45].

---

43 Habermas, J., Strukturwandel der Öffentlichkeit, Neuwied und Berlin 1965, S. 222.

44 Marcuse, H., Der eindimensionale Mensch, Neuwied und Berlin 1967, S. 104.

45 Marcuse, ebd., S. 107; vgl. hierzu auch Platte, Werbung . . . und Zimmer, D. E., über den politischen Stil des „Bayernkurier" (BK): „Journalismus, wie ihn der BK betreibt, besteht weniger in der Vermittlung von Informationen oder der Entwicklung von Argumenten. Mit Vorliebe liefert er Sprachsignale, die auf eine bestimmte Affektstruktur des Lesers rechnen, diese suggestiv reizen und in sich bekräftigen. So viele Sprachelemente besitzen ja neben ihrem sachlichen Inhalt einen affektiv aufgeladenen; bekanntlich lassen sich fast alle Aussagen durch die Ausnutzung dieser Affektzonen um die Wörter in ihrem Suggestivwert völlig umpolen. Deutsche Atomplanungen, so sagt die FDP, verschärften die europäischen Spannungen und bestärkten das Mißtrauen im

Entleerung von Information, quasi-magische Formelhaftigkeit und persuasive Ausbeutung vorhandener Sprachmaterialien ist aber nur eine wichtige sprachliche Folge einer modernen Form politischer Differenzierung, ist nur eine Seite jener sprachlichen Differenzierung, die parallel zur politischen Differenzierung zwischen Entscheidungsträgern und Einflußlosen verläuft. Gemeint ist die Differenzierung in eine gruppenexterne und eine gruppeninterne, oder besser: in eine exoterische und esoterische Redepraxis. [46]

Exoterische Rede praktizieren Parteien, Verbände und andere politisch relevante Gruppen, wenn sie sich an die große politische Öffentlichkeit der Wähler und Anhänger wenden. Die in persuasiver Absicht reduzierte Sprache der „Slogans" und der „politischen Schlagwörter" wäre hierfür ein wichtiges Beispiel. Hierzu müßten daneben auch „Stellungnahmen", „Interviews" und neuerdings auch die „Plattform" gezählt werden, also all das, was politisch wirksame Gruppen oder deren Repräsentanten „nach außen" als ihre „offizielle Meinung" äußern und womit sie sich — zumindest eine zeitlang — öffentlich identifizieren. [47]

Osten — so könnte eine sachliche journalistische Aussage aussehen. Wer diese FDP-Meinung nicht teilt, hätte sich dann die Mühe zu machen, darzulegen, warum deutsche Atomplanungen Spannungen und Mißtrauen nicht bestärken; oder daß gerade eine Politik wünschenswert wäre, die Spannungen und Mißtrauen fördert. Marcel Hepp umgeht beides, Argumentation wie Farbe-Bekennen, durch den Austausch eines einzigen Wortes: ‚Deutsche Atomplanungen, so keift die FDP...' Denn wer keift, der ist ohnehin so widerlich, daß er gar nicht Recht haben kann." (Aus „Die Zeit", vom 12. Sept. 1969, S. 8).

46 Bei der Unterscheidung zwischen gruppenexterner und gruppeninterner Sprachen orientiere ich mich an Goffmans Unterscheidung zwischen „front" und „back regions". Goffman bezieht diese Unterscheidung auf die Regionalisierung von Interaktionsprozessen, jedoch nicht explizit auf sprachliches Verhalten, behauptet aber: "The line dividing front and back regions is illustrated everywhere in our society"; aus: Goffman, E., The Presentation of Self in Everyday Life, New York 1959, S. 123.

47 Ein gutes Beispiel für die Analyse von Funktion und Eigenarten „exoterischer" Rede und ihrer gruppeninternen Hintergründe liefert Arne Naess in seiner Arbeit: Communication and Argument, Oslo 1966, S. 91: "We say of two persons who support one another in a debate that they are 'on the same side'; however, it is often necessary to present the standpoint of the side in such a way as to make it especially clear that its adherents are in fact on one side and in opposition to the standpoint of another side. Any differences between the side's supporters must not be allowed to come into the open; the supporters

Tatsächlich entscheidungsrelevant dürfte eher die *esoterische Redepraxis* sein. Denn sie enthält wichtige „Hintergrundinformationen". In ihr werden — mehr oder weniger wirksam abgeschirmt — die Auseinandersetzungen innerhalb der Gruppe ausgetragen. Hier dürfte dann auch jede Formelhaftigkeit und Verkürztheit der exoterischen Rede abgestreift werden zugunsten einer sehr subtilen Kosten-Nutzen-Analyse von Programmen und Strategien, von deren Richtigkeit ja dann eine Erweiterung oder Schmälerung der Machtbasis dieser Gruppe abhängen kann. Als typisch für diese interne Sprache könnte der Satz von F.D.P.-Genscher gelten: „Zu viel Profil schafft zu wenig Wähler." [48] Dieser Satz mag die herrschenden Zustände richtig widerspiegeln. Als offizieller Wahlslogan für eine nach außen profilbewußte Oppositionspartei dürfte er kaum geeignet sein. Und der Abgeordnete Häfele (CDU) schildert in schöner Offenheit die politischen Folgen eines taktisch bedingten Zerfalls in exoterische und esoterische Rede für die (mangelhafte) Kontrolle der Regierung und der Ministerialbürokratie durch das Parlament: „Nach innen ist die Kritik an den eigenen Leuten zwar viel häufiger, als die Öffentlichkeit weiß. Ich habe selber jedoch kein Interesse, daß die Öffentlichkeit von meiner Kritik an der Regierung erfährt, weil wir (die Regierungsfraktion und die Regierung) eben in den Augen des Volkes im gleichen Boot sitzen. Der Selbsterhaltungstrieb ist die Ursache, warum die Mitglieder der Regierungsfraktion Kritik möglichst nicht öffentlich anbringen und warum die Kontrolle nur eingeschränkt funktioniert. Soweit wir Mitglieder der Regierungsfraktion sind, sind wir im Grunde, was Kontrolle und Gesetzgebung anbelangt, nicht mehr in der Rolle des

---

of the side must seek a common platform and target. The main considerations here are those of consolidation and the corporate activation of the group. As often as not what is needed here is depreciazation of the expressions of the party aims, for the points on which members of the supporting group differ among themselves will have to be omitted, or transcended in order to avoid division or splits within the group itself. Here we can readily appreciate the usefulness of catchwords and slogans for those interested in maintaining party-solidarity. The use of eulogism and dyslogisms, i. e. expressions with respectively, a strong positive and negative emotional emphasis, tends to affect the intelligibility of a standpoint, even among its own supporters — a fact which can be exploited in order to produce deliberately inculcated pseudoagreement within the group. For the purpose of consolidation, pseudoagreement can be as effective as real agreement."

48 Aus: Der Spiegel, vom 23. 6. 1969, S. 32.

Parlaments nach der klassischen Gewaltenteilungslehre. Wir kontrollieren die Ministerialbürokratie nicht richtig, weil es weitgehend Eigentore wären, wenn wir etwas Spektakuläres aufdeckten, da ja unsere Leute die Bürokratie führen. Wir erwecken also durchaus den Eindruck einer Hilfstruppe der Regierung ...“ [49]

---

49 Häfele, H., Bürokratisierung des Parlaments? Zur Beziehung von Parlament, Parlaments- und Ministerialbürokratie, in: Der Bundestag von innen gesehen, ed. Hübner, E., et. al., München 1969, S. 188.

5.0 Elemente der Gruppensprache

Wenn Soziologen das Wort „Sozialstruktur" gebrauchen und die besonderen Vorzüge „struktureller" Betrachtungsweisen betonen, so stützt sich dies zunächst auf die ziemlich gesicherte und auch Nichtsoziologen zugängliche Hypothese, daß nämlich beobachtbares Verhalten von Menschen gewöhnlich nicht beliebigen Orientierungen folgt, sondern sich vielmehr an „erlernten" Verhaltensweisen orientiert. Je nach vorgegebenen situativen Randbedingungen, so wird angenommen, realisiert der einzelne Verhaltensweisen, die er im Verlauf seiner Sozialisation erlernt hat und die seine Interaktionspartner von ihm erwarten. [1] Die Rede vom „strukturierten" Verhalten rechtfertigt sich nun aber auch insbesondere deshalb, weil erlernte und aktualisierte Verhaltensweisen nicht „vom Himmel fallen", sondern aus dem das Einzelverhalten überformenden traditionsverhafteten Zusammenhang vielfältig verflochtener und differenzierter Gruppierungen und den davon abhängigen gruppentypischen Verhaltensweisen einer jeweils bestimmten Gesellschaft abgelesen werden können. [2]

Ein solcher „sozialstruktureller" Hintergrund auch der individuellen Redepraxis wurde schon in den Bewußtseinstheorien des 18. und 19. Jahrhunderts vermutet und dann insbesondere bei Karl Marx ausführlich und eindrucksvoll analysiert, in systematischem Zusammenhang mit den typischen

---

1 Vgl. hierzu Dahrendorf, R., Homo Sociologicus, Köln und Opladen 1964 (4. Aufl.), S.27ff.

2 Vergl. Habermas, Zur Logik ..., S. 60: „Soziales Handeln ist eine Befolgung von Normen. Handlungsbestimmende Normen sind kollektive Verhaltenserwartungen. Diese Erwartungen sind ein für das institutionalisierte Handeln relevanter Ausschnitt der kulturellen Überlieferung. Diese ist ein Zusammenhang von Symbolen, der das umgangssprachlich artikulierte Weltbild einer sozialen Gruppe und damit den Rahmen für mögliche Kommunikationen in dieser Gruppe festlegt. Gegeben ist soziales Handeln deshalb nur mit Bezug auf das System überlieferter kultureller Muster, in dem sich das Selbstverständnis sozialer Gruppen artikuliert. Die Methodologie der Handlungswissenschaften kann der Problematik des Sinnverstehens, das die kulturelle Überlieferung hermeneutisch aneignet, nicht entgehen."

Weisen der Organisation von Arbeit und Herrschaft, wie er sie in der frühkapitalistischen (englischen) Gesellschaft beobachtete. Seine bislang unwidersprochene Hypothese, daß der einzelne nicht als „abstraktes" Individuum, sondern als „ensemble der gesellschaftlichen Verhältnisse" [3] begriffen werden müsse, ist nach wie vor grundlegend für die Rechtfertigung sozialwissenschaftlicher — also auch sprachsoziologischer — Analysen. Im Gewande moderner Terminologie hört sich dann die Marx'sche Hypothese etwa so an: „Soziologen legen im allgemeinen... Sozialstruktur in die Interaktion hinein: Ihre Aufmerksamkeit gilt Personen als Mitgliedern von sozialen Gruppen und Organisationen. Personen werden eher Rollenspieler als Individuen. Zwei Personen sind in der Interaktion niemals bloße Personen, sondern Vertreter von Gruppen, etwa ein Lehrer und ein Schüler mit gegebenen Klassen-, Altersgruppen-, Cliquenzugehörigkeit und ähnlichem." [4] Im vorangegangenen Kapitel sind wichtige soziale Bedingungen behandelt worden, die Gruppenbildung und damit auch Strukturierung von Kommunikationssituationen beeinflussen, und aufgrund derer Unterschiede in der Redepraxis einzelner beobachtet werden können. Es waren dies, noch einmal ganz allgemein zusammengefaßt, Ungleichheiten der Teilnahmechancen im Arbeitsprozeß und im politischen Prozeß — bedingt durch sozio-kulturelle Differenzierung und Herrschaft — und Unterschiede der arbeitsteiligen Aktivitäten selbst — bedingt durch (Berufs-)Rollendifferenzierung. Diesen für die Strukturierung von Kommunikationssituationen und Redepraxis relevanten Randbedingungen soll in dem nun folgenden Kapitel eine Systematisierung von sozial relevanten sprachlichen Variablen gegenübergestellt werden. Auch hier wird es dann wieder wichtig sein, für die beabsichtigte Analyse von Elementen der Gruppensprache auf diejenigen nichtsprachlichen Randbedingungen hinzuweisen, die die sprachlichen Variablen beeinflussen.

---

3 Marx, K., Thesen über Feuerbach, in: Marx/Engels, Werke Bd. III, Berlin 1962, S. 6.

4 Strauss, Spiegel..., S. 74.

5.1 Gruppentypische Bedeutungsträger

Seit Ferdinand de Saussure wird allgemein Sprache als „System von Zeichen" definiert, dem „die Verbindung von Sinn und Lautzeichen wesentlich ist".[5] Hierauf war im zweiten Kapitel schon eingegangen worden. Diese Doppelseitigkeit sprachlicher Zeichen, wie sie in der Verbindung von Sinn und Laut zum Ausdruck kommt, ist es, die die Sprache als Instrument für Kommunikation so geeignet macht.[6] Im Anschluß an de Saussure spricht Martinet von einer „zweifachen Gliederung" (double articulation) der Sprache.[7] Die erste Gliederungsebene ist die des Sinns (signifié), diejenige Gliederung also, die auf der semantischen Ebene der Sprache erfolgt. Martinet spricht hier von einer Gliederung in „Moneme". Häufiger findet sich jedoch in der Literatur die Bezeichnung „Morpheme" für die nicht mehr zerlegbaren potentiellen Bedeutungsträger einer Sprache. Auf dieser ersten Gliederungsebene werden Erfahrungen und Bedürfnisse, die man anderen zur Kenntnis bringen möchte, in eine Folge von Einheiten zerlegt, die je eine lautliche Form und eine Bedeutung haben. Es handelt sich hierbei also um diejenige Gliederung, in der sich Erlebnisse sprachlich ordnen lassen, über die Mitglieder einer Gruppe gemeinsam verfügen: „Nur im Rahmen dieser Erfahrung, die sich notwendig auf das beschränkt, was einer beträchtlichen Anzahl von Individuen gemeinsam ist, geht sprachliche Mitteilung vor sich."[8]

Die zweite Gliederung der Sprache erfolgt auf der Lautebene, auf der Ebene der „Phoneme". Hier werden Laute in eine Folge von Elementen zerlegt, deren jede es erlaubt, unterschiedliche Lautfolgen als Träger unterschiedlicher Bedeutungen zu identifizieren. „Dank der zweiten Gliederung kommen die Sprachen mit einigen Dutzend distinkter Lauthervorbringungen aus, deren Kombination die lautliche Form der Einheiten der ersten Gliederungsebene ergeben."[9] Durch diese doppelte Gliederung wird es also möglich, *S*ee von *W*eh, *r*eiten von *l*eiten, *T*at von *R*at usw. zu unterscheiden.

---

5 de Saussure, Grundfragen . . ., S. 18.

6 Vgl. de Saussure, Grundfragen . . ., S. 76 ff.

7 Martinet, A., Grundzüge der allgemeinen Sprachwissenschaft, Stuttgart 1963, S. 21ff.

8 Martinet, Grundzüge . . ., S. 22.

9 Martinet, Grundzüge . . ., S. 23.

Wie diese wenigen Beispiele zeigen, handelt es sich bei den Gliederungselementen beider Ebenen um Einheiten unterhalb der Wortebene. [10]
Die Unterscheidung in semantische und lautliche Gliederung findet sich bei allen bisher untersuchten Sprachen. Die Unterschiede zwischen Sprachen — sieht man zunächst einmal von der Grammatik ab — entstehen dann dadurch, daß jede Sprache sowohl die lautlichen Äußerungen (signifiants) wie auch die bezeichneten Bedeutungen (signifiés) auf eigentümliche Weise gliedert. [11]

Begibt man sich nun auf die Wortebene, so zeigen sich diese Gliederungsdifferenzen darin, daß eine unbekannte Sprache Wörter nach unbekannten Regeln auf der Lautebene komponiert und daß die Bedeutungen dieser Wörter unbekannt bleiben. Der durch ein Wort prädizierte Gegenstand kann auch dann im Dunkeln bleiben, wenn ein Wort aus bekannten Lautmaterialien zusammengesetzt ist. In diesem Falle wird zwar der Bedeutungsträger entziffert, nicht jedoch die damit verbundene Bedeutung. Im ersten Fall, wenn also weder die Lautelemente noch die Bedeutungen bekannt sind, spricht man allgemein von „Fremdwörtern“, also von Wörtern einer „Sprachgemeinschaft“, die sich einer von der eigenen unterschiedenen „natürlichen Sprache“ bedient. Im zweiten Falle, wenn die Laute, nicht aber deren prädizierbare Bedeutung bekannt sind, spricht man allgemein von Wörtern einer Sonder- oder Fachsprache. Typisch für diesen zweiten Fall sind beispielsweise „Klebewörter“, wie sie in einigen Fachsprachen verwendet werden wie: Hoch-ofen, Kern-spaltung, Tag-traum, Siebenschläfer usw. Gemeinsam ist der Fach- und der Fremdsprache, daß sie ein Vokabular verwenden, welches nicht zum allgemein zugänglichen Alltagswortschatz einer (Groß-)Gruppe gehört, sondern vielmehr selbst ein gruppentypisches bzw. rollentypisches Vokabular im Sinne von gruppentypischen oder rollentypischen Bedeutungsträgern darstellt. Freilich sind gerade im Bereich der Fachsprachen die Grenzen zwischen fremdsprachlichen und eigensprachlichen Wörtern fließend.

---

10 Vgl. Martinet, Grundzüge..., S. 25 ff. und Bierwisch, Strukturalismus..., in: Kursbuch 5/1966, S. 77—152.

11 Vgl. Martinet, Grundzüge..., S. 26.

5.2 Gruppentypische Bedeutungen

Das Kapitel über Bedeutung hatte schon die wichtigsten Zusammenhänge zwischen semantischen Standardisierungen und Gruppenerlebnissen behandelt. Es ist dort mehrfach darauf hingewiesen worden, daß die Herausbildung „öffentlicher" Bedeutungen von Wörtern und deren Wandel sowohl im deskriptiv-neutralen wie auch im emotiven Bereich in engem Zusammenhang mit dem kollektiven Schicksal einer Gruppe steht. Im Vokabular spiegeln sich die physische und soziale Umwelt einer Gruppe, ihre Aktivitäten, Interessen und Gewohnheiten. Ganz allgemein kann man vermuten, daß für den Umfang des Wortschatzes und die Eigenarten der Bedeutungen von Wörtern drei Faktoren verantwortlich sind:

a) die physische Umgebung,
b) der historisch-kulturelle und
c) der zeitgenössisch-soziale Zusammenhang von Aktivitäten, Interaktionen, Normen und Interessen.

Insbesondere der Umfang der lexikalischen Einheiten einer Sprache wird von der Geschichte einer Gruppe abhängen. Gruppen und ganze Gesellschaften vermitteln ja auch wiederum mit dem in ihrer Sprache angehäuften typischen Bedeutungsschatz neuen Mitgliedern ihre Geschichte: „Indem ein Kind ... die üblichen Bezeichnungen lernt, lernt es dort zu unterscheiden, wo die Eltern unterscheiden, und dort nicht zu unterscheiden, wo dies nach dem Vorbild der Eltern und der anderen Sprachbenutzer in diesem Kulturkreis nicht nötig ist." [12] Mittels der in seiner Sprache enthaltenen und zur Verfügung gestellten Wörter erlernt das Kind, was für es und seine Gruppe

---

12 Hörmann, Psychologie ..., S. 330. Vgl. auch Sapir, Selected Writings ..., S. 90 ff. und Brown, Words ..., S. 260 und Ammer, K., Sprache, Mensch und Gesellschaft, Halle 1961, S. 41: „Liefert einerseits das von Generation zu Generation vererbte *sprachliche System* mit seinen Einteilungsprinzipien, mit seinen Anzeige- und Aussage-Modellen wichtige Grundlagen für den *Aufbau* des eigenständigen Denkens des jungen Menschen, so vermittelt andererseits der *Inhalt* der sprachlichen Mitteilung das, was eben mit Hilfe der Sprache an das Kind herangetragen wird: einen reichen Schatz von *Erfahrungen*, die ebenfalls den Erkenntnisstand, wie er Generationen hindurch aufgebaut wurde, darstellen und so die Grundlage zu einer Welterkenntnis, einer Weltschau bilden, die der einzelne nur zu einem verschwindenden Bruchteil mit seiner eigenen Erfahrung abdecken kann."

bisher von großer und allgemeiner Bedeutung, was von positiver und negativer, was von besonderer und was ohne Bedeutung war. Inwieweit das Kind später als Erwachsener zu neuen Relevanzbereichen auch über die Grenzen seiner (Primär-)Gruppe hinaus vorstößt und in welchem Bereich dies möglicherweise geschieht, hängt dann ab vom weiteren Fortgang seiner (linguistischen) Sozialisation.

Das bisher so allgemein über den Zusammenhang von Gruppe, Sprache und Bedeutung Gesagte bedarf im weiteren einer wichtigen Einschränkung. Wie schon das Kapitel über Sprache und Interaktion gezeigt hat, ist es kaum sinnvoll anzunehmen, bei der Sprache einer (Groß-)Gruppe handele es sich um ein irgendwie homogenes Ganzes. Vielmehr scheint es sich so zu verhalten, daß der sozialen Differenzierung und Heterogenität der Lebensformen und Aktivitäten auf der Ebene der Randbedingungen kommunikativer Prozesse eine analoge Differenzierung und Heterogenität auf der Ebene der Redepraxis korrespondiert, sich gleichsam in ihr „abbildet". Bleibt man zunächst einmal auf der Ebene der Wörter, so wird man feststellen können, daß einzelne entsprechend ihrem Herkunftsmilieu und entsprechend den von ihnen durchlaufenen Lernmilieus über einen Wortschatz verfügen, der beträchtliche Unterschiede sowohl im Inhalt als auch im Umfang aufweisen mag. Verschiedene Personen können darüber hinaus auch eine Vielzahl allgemein bekannter und gebräuchlicher Bedeutungsträger mit sehr unterschiedlichen Bedeutungen verknüpfen. Solche semantischen Differenzen werden sicherlich häufig bei durch eher private Erfahrungen des einzelnen bedingten unterschiedlichen privaten Bedeutungsassoziationen zu beobachten sein. Daneben lassen sich aber ganz gewiß Gründe für semantische Differenzen angeben, die zu konkurrierenden öffentlichen semantischen Standardisierungen führen, und die im Zusammenhang mit der Gruppenstruktur einer Gesellschaft gesehen werden müssen. Eben diese öffentlichen Bedeutungsunterschiede allgemein gebräuchlicher Wörter sind auch von besonderem politischen Interesse. In ihnen kommen Unterschiede in der gruppentypischen Bedeutung von Wörtern zum Ausdruck. Der einzelne signalisiert durch seine Interpretation dieser „umstrittenen" Wörter Zugehörigkeiten oder Loyalitäten gegenüber bestimmten politischen, weltanschaulichen, wissenschaftlichen oder sonstigen sozialen Gruppierungen oder Organisationen.

Neben der Einführung semantischer Spezialitäten über einen Spezialwortschatz — über gruppentypische Bedeutungsträger — ist eine gruppentypische Interpretation allgemein benutzter Wörter ein zweites wichtiges Element einer Gruppensprache. Neubert bringt hierzu bekannte Beispiele aus dem praktisch-politischen Bereich: „Begriffe wie ‚Freiheit', ‚Unabhängigkeit', ‚Sozialismus', ‚Kommunismus', ‚Kapitalismus', ‚Imperialismus', ‚Faschismus', ‚Militarismus', ‚Klasse', ‚Klassenkampf', ‚Proletariat', ‚Ausbeutung' usw. werden heute als sprachliche Symbole von den Angehörigen aller Klassen verwendet... Das Zeichensystem der Sprache dient niemals nur einer Klasse... Es ist jedoch nicht bedeutungsgleich. Für die Arbeiterklasse muß ‚Kommunismus' etwas anderes bedeuten als für die Bourgeoisie..." [13]

Überblickt man nun das bisher in dieser Untersuchung zum Bedeutungsproblem Gesagte, dann kann vermutet werden, daß Unterschiede zwischen Gruppen, was ein gemeinsames Vokabular betrifft, in dreierlei zum Ausdruck kommen können. Je nach Situation und Intention können Repräsentanten von Gruppen demselben Wort (Bedeutungsträger)

a) eine unterschiedliche *deskriptive* Bedeutung geben,

b) mit ihm eine unterschiedliche *emotive* Bedeutung (positiv oder negativ) verknüpfen, und sie können in Abhängigkeit von 1. und 2. und in Abhängigkeit von bestimmten nichtverbalisierten Interessen

c) dasselbe Wort mit unterschiedlicher *Häufigkeit* verwenden. [14]

5.3 Gruppentypische Wortverwendungen

In der Bevorzugung eines bestimmten Vokabulars können sich berufsrollenbedingte Relevanzbereiche ebenso wie politische, religiöse, wissenschaftliche oder sonstige Affinitäten und Orientierungen widerspiegeln, aber auch der sozioökonomische Status, die geographische Herkunft und der allgemeine

---

13 Neubert, Semantischer..., S. 296.

14 Vgl. Ammer, Sprache..., S. 77: „In der bewußten Kampfsphäre der Arbeiterbewegung erscheinen aber auch Wörter wie *Lohnforderung, Lohnkampf, Solidarität, Achtstundentag, bezahlter Urlaub, Krankenkasse, Koalitionsrecht, Parteiorganisation, Mitbestimmung, Sozialversicherung, Arbeitsschutz,* u. v. a. Es ist natürlich nicht so, daß diese Unterschiede des Vokabulars absolut zu verstehen wären, daß etwa der Arbeitgeber diese Wörter nicht kennt: Der Unterschied liegt darin, daß in den beiden Klassen die Wörter mit unterschiedlicher Gefühlsbetonung und mit unterschiedlicher Häufigkeit und natürlich auch mit unterschiedlichem Inhalt gebraucht werden..."

biographische Hintergrund eines Sprechenden. Die spezifische Redepraxis bestimmter Personen enthält nicht nur explizite, auf den Gesprächsgegenstand bezogene Informationen, sie informiert zugleich auch über den Sprechenden.

Wird ein gruppentypisches Vokabular bewußt oder unbewußt verwendet, so erlaubt dies jedoch nicht nur eine sozialbiographische Lokalisierung eines Sprechers. Es kann damit zugleich ein Solidaritäten schaffender oder bekräftigender Effekt verbunden sein. Hierauf war schon bei der Analyse der Mechanismen verwiesen worden, die der „bildungssprachlichen Manipulation" zugrunde liegen. Eine Gruppe kann durch bewußt gepflegte Eigentümlichkeiten der Wortverwendung geradezu die Absicht haben, sich von anderen abzuheben, mit sprachlichen Unterschieden auch soziale Unterschiede und Distanzen zu signalisieren. Je nach gesellschaftlicher Lage kann die Verwendung bestimmter Sonder- oder Fachsprachen als (zusätzlicher) Indikator für das besondere Prestige einer Gruppe fungieren, das sich dann auf alle diejenigen überträgt, die sich vielleicht oft nur scheinbar solcher Sprachen zu bedienen verstehen. "If ... groups have prestige, such as aristocratic or scientific groups, outsiders will enjoy reproducing their customs and especially their vocabulary . . .".[15] Es erscheint daher angebracht, zwischen der tatsächlichen Beherrschung bestimmter analytischer Fertigkeiten oder sonstiger Fähigkeiten und einer bloß oberflächlichen Nachahmung möglicher damit verbundener sprachlicher Ausdrucksweisen zu unterscheiden.

Die Herausbildung gruppentypischer Wortgebrauchs- und Wortverwendungsregeln kann aber auch neben beispielsweise analytisch-technischen lediglich kommunikationsökonomische Gründe haben. Es kann damit die Absicht verbunden sein, die Redundanz der Alltagssprache zu reduzieren und gleichzeitig die Verständigung in den für die Gruppe wichtigen oder interessanten Bereichen zu beschleunigen und vielleicht auch zu präzisieren. Die Entwicklung eines solchen „Jargons" ist für alle Gruppen typisch, die zahlenmäßig beschränkt sind, deren Mitglieder besonders häufig untereinander verkehren oder die in relativer Abgeschlossenheit existieren. Kleinere militärische Kampfeinheiten, Arbeitsteams, aber auch Familien und

---

15 Meillet, A., How Words Change their Meaning, in: Parsons, T., et al. (eds.), Theories of Society: Foundations of Modern Sociological Theory, New York 1961 S. 1017.

jugendliche Subkulturen mit stark entwickelten Binnenbeziehungen wären hierzu zu rechnen. [16]

Ein ähnliches sprachliches Phänomen ist der „slang“. Er dient gleichermaßen der emotiven Stabilisierung innerhalb von Gruppen wie der schnellen und effektiven Organisation solidarischer Aktionen: ”Slang... is partly an instrument of effective common action and partly the means and symbol of group loyalty; in the end it is zealously fostered as the unity of thought, feeling and action in the group.“ [17]

In diesem Zusammenhang wäre auch noch der „argot“ zu behandeln. Es soll jedoch hier bei dem Hinweis belassen werden, daß „Jargon“, „slang“ und „argot“ nicht nur das allgemein verwendete Vokabular erweitern, sondern zum großen Teil dies lediglich verdoppeln. [18] Darin dürfte auch ihr im Vergleich zur Alltagssprache oft geringer zusätzlicher Informationsgehalt begründet sein, ebenso wie ihre manchmal beabsichtigte verschleiernde Wirkung. [19]

Neben der Vorliebe für bestimmte Wörter kann auch ihre Ablehnung, bis hin zu Tabuierung, zu gruppentypischen Wortverwendungsregeln gehören. Ebenso wie eine Gruppe die Verwendung bestimmter Wörter positiv sanktionieren kann, können also die für eine Gruppe typischen Sprachregelungen auf der Wortebene die Verwendung anderer Wörter negativ sanktionieren. Das ist der Fall, wenn vorherrschende Konventionen der Wortverwendung bestimmte Wörter zu „unberührbaren“ deklarieren und aus dem Vokabular „wohlerzogener“ oder „wohlangepaßter“ Personen streichen. Solche Wort-

---

16 Vgl. Church, J., Language . . ., S. 119: ”Jargon sometimes works in the interests of precision and economy, referring, principles, and relationships essential to the group that uses it — ’dis-saving’ and ‘the discretionary dollar‘, for instance, although they offend delicate ears, are precise and useful terms for the economist; even more barbarous, but equally precise, is ’to accession‘, which is the procedure by which a library fits a new book into its collection. It is often, however, like the overornate speech of many schizophrenics only a grandiloquent way of giving weight and significance to something quite commonplace, or of advertising one’s affilation with particular groups, and so belongs in the category of word magic.“

17 Lewis, Language..., S. 49.

18 Vgl. Cohen, Pour une..., S. 189.

19 Vgl. Porzig, Wunder..., S. 247.

vermeidungsregeln können entstehen, weil bestimmte Handlungen oder Personen oder Gegenstandsbereiche als „unmoralisch“, als „feindlich“ oder als „unrein“ beurteilt werden: ”There are such generally tabooed words as bastard and bitch and whore (when these are used to indicate human beings). Many particular words relating to the sex act, defecation, urination, vomiting and expectoration are deemed ’obscene‘ and may not be pronounced among the respectable or appear in writing . . .“ [20] Sogenannte „pornographische“ Literatur verbindet mit dem Insistieren auf der Verwendung tabuierter Wörter auch einen Protest gegen den „bürgerlichen“ Charakter bestehender Institutionen, indem sie bewußt gegen deren Sprachregelungen verstößt.

Extreme Formen von Wortverwendungsregeln, wie sie Fixierung auf bestimmte Worte oder aber Tabuierung von Worten darstellen, geraten beide in die Nähe eines magischen Begriffsrealismus. Bloße Namen für Gegenstände, Personen oder Handlungen, mit denen eine Gruppe intensive positive oder negative Emotionen verbindet, werden wie diese Gegenstände, Personen oder Handlungen selbst behandelt. Hierdurch verwischt die Grenze zwischen Symbol und Symbolisiertem, zwischen Zeichen und Bezeichnetem. [21] Worte werden plötzlich mehr als jederzeit hintergehbare lautliche Repräsentanten bzw. verständigungsdienliche Ausdrucksmittel. Die „Macht“ solcher Worte rührt dann daher, daß positive oder negative Emotionen der mit ihrer Hilfe prädizierten „Gegenstände“ auf deren Bedeutungsträger übertragen werden. Das Wort selbst wird zur geliebten oder gehaßten Eigenschaft. Seine bloße Verwendung reicht jetzt schon aus, um die gleichen Gefühlszustände hervorzurufen wie der benannte „Gegenstand“ selbst. Es wird zum „Auslöser“. [22] Persuasive Definitionen machen sich diesen Vorgang ebenso zunutze wie jede Art sprachgebundener Werbung und Propaganda.

---

20 Hertzler, A. Sociology . . ., S. 275.

21 Vgl. Katz, Psychological Barriers . . ., S. 318: ”Even in our society, many obscene and sacred words are taboo because the name is regarded as the equivalent of the object or process for which it stands.“

22 Vgl. Manilowski, B., The Problem of Meaning in Primitive Languages, in: Ogden/Richards, The Meaning . . ., S. 322: ”The innumerable superstitions — the agnostic’s fear of blasphemy or at least reluctance to use it, the active dislike of obscene language, the power of swearing — all this shows that in the normal use of words the bond between symbol and referent is more than

Exkurs: Institutionalisierte Sprachbarrieren (Duden Ost—Duden West)

Das folgende stützt sich auf Materialien, die H. Moser nach einer vergleichenden Analyse der westdeutschen (Mannheimer) Dudenausgabe von 1961 und der ostdeutschen (Leipziger) Dudenausgabe von 1957 unter dem Titel: „Sprachliche Folgen der politischen Teilung Deutschlands" zusammengetragen hat. [23] Die Sekundäranalyse von Mosers Material wird im Hinblick auf gruppentypische Spezialwörter (Bedeutungsträger), gruppentypische Wortinterpretationen (Wortbedeutungen) und gruppentypische Wortverwendungen vorgenommen, wie sie sich in den beiden konkurrierenden Dudenausgaben widerspiegeln.

Moser stellt zunächst fest, daß sowohl im Mannheimer wie auch im Leipziger Duden eine Reihe von *neugeprägten Wörtern* aufgenommen wurden, die zwar auf bekannte lexikalische Einheiten zurückgreifen, die in ihrer Komposition (Klebewörter) jedoch erst den beiden deutschen Nachkriegsgesellschaften entstammen. Als Beispiele für Westdeutschland werden folgende Wörter angeführt: „Bundespräsident, Bundeskanzler, Bundesbahn,

---

a mere convention." "In magical formulae we find a preponderance of words with high emotional tension, of technical terms, of strong imperatives, of verbs expressing hope, success, achievement" (ebd. S. 323). Vgl. auch Church, Language..., S. 75: "We can see that word realism works in several ways. First, we can avoid knowledge of a disagreeable reality by refusing to name it, by giving it a name that hides its true nature, or by giving it a name that keeps it neutral and remote... Second, having given voice to a notion, we find that we have created an entity that now dwells in reality on the same footing as other objects. The list of purely verbal entities which sages and ordinary people have taken seriously — sometimes seriously enough to kill and be killed for them — is almost endless..." "The psychological personfication of inanimate objects is a closely related phenomenon, as in the reverence given to national flags... Third, there is a species of negative word realism: lacking a word (or a formulation) for something, we cannot quite believe in the thing itself. Similary when we lose a word, we are paralyzed, and the substitution of verbal wild cards... may be so unsatisfactory that we lose interest in a conversation until we have dredged up the missing mot juste" (ebd. S. 76).

23 Moser, H., Sprachliche Folgen der politischen Teilung Deutschlands, Düsseldorf 1962. Folgende Dudenausgaben liegen dem von Moser vorgenommenen Vergleich zugrunde: Duden, Rechtschreibung der deutschen Sprache und der Fremdwörter, Mannheim 1961 (15. Aufl.) und: Der Große Duden, Leipzig 1957 ff (15. Aufl.).

Verfassungsschutzamt, Lastenausgleich, soziale Marktwirtschaft, Luftbrücke, Kontrollpunkt, Interzonenverkehr, Heimatvertriebener (-verwiesener) oder Flüchtling, Zeitverschleppter, politisch und rassisch Verfolgter, Sach-, Fliegergeschädigter, Spätestheimkehrer, Notaufnahmestelle, Suchdienst, Familienzusammenführung, Lohnfortzahlung, Viersektorenstadt, Währungsreform (alltagssprachlich Währung), sozialer, steuerbegünstigter Wohnungsbau, (verlorener) Baukostenzuschuß, Einfachstwohnung, Leihwagen, Leistungssteigerung, Jahresbestfilm, Sozialprodukt, Entwicklungsland (entwicklungsfähiges statt unterentwickeltes Land)." [24]

In der DDR, so behauptet Moser, ist die Anzahl solcher Neuprägungen „wesentlich" größer. [25] Als Beispiele werden angeführt: „Selbstverpflichtung, Republikflucht, -flüchtig, Westler, Spalter, Kulturhaus, -funktionär, Aufklärungsgruppe, beauflagen (in der Planwirtschaft = eine Auflage erteilen)«; und die Neubildung ganzer Wortfamilien um bestimmte „Kernwörter" wie: „Volk: Volksrepublik (Polen, China), -demokratie, -polizei, -kontrolle, -kammer, -wald, -richter, -korrespondent, volkseigen." [26]

Weitere solche neuen Wortfamilien haben sich beispielsweise um „Norm" und „Soll" gebildet: Für „Norm" führt Moser an: „Normerhöhung, -kontrolle, -katalog, -sachbearbeiter; Tages-, Materialverbrauchsnorm;" für „Soll": „Sollerfüllung, Sollstärke, Abgabesoll, Eiersoll, Erfüllungs-, Jahres-, Kartoffel-, Lernsoll; Milch-, Patienten-, Plansoll, Produktions-, Rindfleisch-, Rüben-, Schicht-, Schweinesoll; Übersoll, Vertrags-, Weizensoll. Auch das Sollschwein gehört hierher ..." [27] Der starke Ausbau der Wortfamilie „Jugend" ist für Moser ein Index des lebhaften Interesses, das man an der Jugend nimmt: Hier kam es zu Wortbildungen wie: „Jugendbrigade, -förderungsplan, -internationale, -forum, -komitee, -leben, -plan, -variété." Zum Begriff „Arbeiter" finden sich Verbindungen wie :„Arbeiterdichter, -festspiele, -oper, -partei, -student;" zu „Arbeit": „Arbeitsnorm, -ökonomie." Häufig finden sich auch Wortbildungen mit „Bewegung": „Aktivisten-, Wettbewerbsbewegung, dazu Hennecke-, Meisterbauer-, Zweier-Melker-Bewegung, ja Steckenpferdbewegung ... Im Zusammenhang mit dem Be-

---

24 Moser, Folgen ..., S. 9.
25 ebd.
26 ebd.
27 ebd.

streben, religiöse Formen zu ersetzen, sind Kindesweihe, Jugendweihe, Eheweihe (=sozialistische Eheschließung), Grabweihe gebildet worden ..." [28]

Neben diesen Neubildungen aus lexikalischen Elementen der eigenen Sprache und den dabei auftretenden Spezialisierungen in Ost und West unterscheidet Moser „Neuwörter fremder Herkunft". In der BRD handelt es sich seiner Meinung nach „ausschließlich" um Wortkörper englisch-amerikanischer Herkunft. [29] Als Beispiele werden Wörter angeführt wie: „Hobby, Sex-appeal, Team, Shorts, Fan, Bestseller, Teenager, Party, Jeep, Job, Trend, Camping, Slogan, Make-up, Non-Stop-Flug, -Kino, global, catchen, quizzen." Als Hauptgebiete angelsächsischer Entlehnung nennt Moser Unterhaltung und Vergnügen, Mode, Fernsehen, Jazz, Luftfahrt, Kernphysik, Kybernetik, Wehrwesen. [30]

Auch in der DDR sind angelsächsische Entlehnungen übernommen worden, vor allem ist jedoch russischer Einfluß wirksam. Russische Fremd- und Lehnwörter finden sich insbesondere im Bereich der Parteisprache. Der Ost-Duden verzeichnet: „Natschálnik (Vorgesetzter), Towáritsch (Genosse), Komsomol (kommunistischer Jugendverband), dazu Komsomolze, -in (Komsomolzen auch im West-Duden), Traktorist, Traktoristin (in Westdeutschland nur Traktorführer), Novator (Neuerer), Diversant (Störer, Sabotageagent), Kapitulant (-entum), Kursant (Kursteilnehmer ...), Revanchist stammt ebenfalls aus dem Russischen, ebenso Spartakiade (großer Sportwettkampf) ..." [31]

Größer als die Zahl der direkt aus dem Russischen übernommenen Wörter ist, nach Moser, die Zahl der Lehnübersetzungen. Folgende Beispiele führt er u. a. an: „Friedensschicht, Plansoll, Planauflage, Rotarmist, Fünfhundertbewegung, Wanderfahne, Wandzeitung ... Kulturhaus, Praktizismus (das Aufgehen in rein technisch-organisatorischen Aufgaben) unter Vernachlässigung der theoretisch-ideologischen Arbeit" (Ost-Duden 1957), „praktizistisch, Kolchosbauer, Selbstverpflichtung, Abweichler(tum), Versöhnler ... Sektierertum (im politischen Sinne), vorfristig, übererfüllen ..." [32] Dazu kommen Titel wie „Held der Arbeit", „Verdienter Lehrer (Arzt) des

28 ebd.

29 Moser, Folgen ..., S. 10.

30 ebd.

31 Moser, Folgen ..., S. 11.

32 Moser, Folgen ..., S. 12.

Volkes" oder auch andere Wortverbände wie „Arbeiter- und Bauern-Staat, -Regierung, -Macht, -Fakultät, -Kind, Maschinen-Traktoren-Station (Mts), Marxismus-Leninismus". [33]

Neben der Einführung von Lehnwörtern in die Hochsprache findet sich im Ost-Duden eine Vielzahl von Wörtern, die unter dem Einfluß der russischen Parteisprache ihre Bedeutung verändert haben. Für den Bereich deskriptiver Bedeutungen meint dies entweder eine Erweiterung oder eine Präzisierung des Begriffsinhalts, gemessen an ihrer Bedeutung in der BRD. „Volk" wird im Sinne einer sozialistischen Gesellschaft interpretiert, „daher kommt es zu den vielen Zusammensetzungen wie Volkseigentum, -armee, -demokratie, -feind, -kammer, -kongreß, -polizei, -rat, -republik, -richter, -schädling, -solidarität, -sport, -theater, -verräter, -wahl; Volkschina, -polen; volkseigen." [34] Das Wort „Gesellschaft" ist in seinem Inhalt ausgerichtet am Interesse der Arbeiterklasse. „Es erscheinen die Zusammensetzungen und Wortverbindungen Gesellschaftskritik, Gesellschaftswissenschaft (Gewi), gesellschaftsgefährlich, -kritisch; gesellschaftliche Erziehung, Tätigkeit, gesellschaftlicher Unterricht." [35] Das Wort „Kollektiv" hat seinen Umfang erheblich erweitert und ist zu einem „Kernwort im Bereich des Gesellschaftsaufbaus geworden". Es erscheint als „Arbeiterkollektiv, Ärztekollektiv, Besucher-, Betriebs-, Erzieher-, Forscherkollektiv, Gewerkschafts-, Kampf-, Lehrer-, Produktions-, Rationalisatoren-, Redaktionskollektiv, Kollektivist, Betriebskollektivvertrag (BKV)". [36]

Einen ähnlichen zentralen Ort wie das Wort „Kollektiv" im gesellschaftlichen hat das Wort „Plan" im wirtschaftlichen Bereich. „Plan" ist ein „Kernwort des wirtschaftlichen Produktionskampfes". Es findet sich in Verbindungen wie „Planwirtschaft, -aufgabe, -soll, -(über)erfüllung, aber auch -rückstand, -schulden; Aktionsplan, Perspektivplan, Betriebs-, Energie-, Export-, Viehhalteplan ..." [37]

Vielleicht am deutlichsten zeigen sich *semantische Differenzen* zwischen der BRD und der DDR in unterschiedlichen Wortinterpretationen aus dem politischen und ideologischen Bereich, wie sie sich in den beiden analysierten

---

33 ebd.

34 Moser, Folgen ..., S. 21.

35 Moser, Folgen ..., S. 21.

36 ebd.

37 Moser, Folgen ..., S. 21 f.

Dudenausgaben widerspiegeln und von denen einige im folgenden zusammengestellt werden:

DUDEN WEST (1961)	*DUDEN OST (1957)*
	Überbau
vorragender Oberbau, Schutzdach, Rechtspr.: Bau über die Grenze	... Mz. (selten) ... baue (Polit. die aus einer bestimmten ökonomischen Basis sich ergebenden polit., jurist., religiösen, künstlerischen und philosophischen Ansichten der Gesellschaft einer Epoche und die ihnen entsprechenden Institutionen).
	Aktiv
Sprachlehre: Tatform	Arbeitsgruppe, die kollektiv an der Erfüllung gesellschaftspolitischer, wirtschaftlicher und kultureller Aufgaben arbeitet und überdurchschnittliche Leistungen anstrebt (Grammatik: Tätigkeitsform; Ggs.: Passiv).
	Brigade
größere Truppenabteilung	Militärisch: größere Truppenabteilung. Sozialist. Wirtschaft: kleinstes Arbeitskollektiv (im Wettbewerb) der ausgezeichneten Qualität.
	Kollektiv
Arbeits- und Produktionsgemeinschaft, besonders in der sowjetischen Wirtschaft, z. B. Kolchose, Kombinat	Arbeits-, Produktionsgemeinschaft zur Erreichung gemeinsamer Ziele.
	Pionier
„Fußsoldat"; Soldat der techn. Truppe, bildlich für: Bahnbrecher, Wegbereiter, Vorkämpfer	Soldat der techn. Truppe — übertr. Wegbereiter, Vorkämpfer, Bahnbrecher; Angehöriger des Verbandes der Jungen Pioniere „Ernst Thälmann".

DUDEN WEST (1961)	DUDEN OST (1957)
	Imperialismus
Ausdehnung-, Machterweiterungsdrang der Großmächte	höchstes und letztes Stadium des Kapitalismus mit Konzentration von Produktion und Kapital in Monopolen und mit der Tendenz zur Neuaufteilung der Welt durch Kriege zwischen den imperialistischen Ländern.
	Faschismus
antidemokratische, nationalistische Staatsauffassung	chauvinistische und offen terroristische Erscheinungsform des Imperialismus.
	Militarismus
Vorherrschen militärischer Gesinnung	in imperialistischen Staaten mit Unterdrükkung der Volksmassen und aggressiver Außenpolitik verbundene Unterordnung aller Bereiche des staatlich-gesellschaftlichen Lebens unter die militärische Kommandogewalt.
	Pazifismus
Ablehnung des Krieges aus religiösen oder ethischen Gründen	Ablehnung jedes, auch des gerechten Krieges.
	Demokratie
Volksherrschaft	Prinzip der „Volksherrschaft“; eine Staatsform, deren Charakter durch die jeweils herrschende Klasse bestimmt wird; bürgerliche Demokratie, sozialistische Demokratie.
	Kapitalismus
individualistische Wirtschafts- und Gesellschaftsordnung, deren treibende Kraft das Gewinnstreben einzelner ist	auf Privateigentum an Produktionsmitteln und auf Ausbeutung der Lohnarbeiter beruhende Wirtschafts- und Gesellschaftsordnung.

DUDEN WEST (1961)	DUDEN OST (1957)
	Sozialismus
eine im Gegensatz zur liberalen Gesellschafts- und Wirtschaftsordnung entstandene Bewegung zur Sicherung der menschlichen Freiheit im demokratischen Staat, u. a. durch Überführung wenigstens der wichtigsten Produktionsmittel in das Gemeineigentum	eine auf der Grundlage der politischen Herrschaft der Arbeiterklasse beruhende Gesellschaftsordnung, in der die Produktionsmittel in gesellschaftliches Eigentum übergeführt sind und die Ausbeutung des Menschen durch den Menschen beseitigt ist; der Kampf für diese Gesellschaftsordnung; erste Phase der Entwicklung der klassenlosen Gesellschaft; wissenschaftlicher Sozialismus (Ggs. utopischer Sozialismus).
	Proletarier
Angehöriger der wirtschaftlich unselbständigen, besitzlosen Klasse	1. Angehöriger der Lohnarbeiterklasse, die keine Produktionsmittel besitzt und ihre Arbeitskraft den Besitzern der Produktionsmittel verkaufen muß; 2. im alten Rom Angehöriger der untersten Klasse.
	Bourgeoisie
(Wohlhabender) Bürgerstand; (Auch: durch Wohlleben entartetes) Bürgertum	die herrschende Klasse in der kapitalistischen Gesellschaft.
	Opportunismus
Anpassen an die jeweilige Lage, Handeln nach Zweckmäßigkeit	Prinziplosigkeit; das Zurückweichen vor Schwierigkeiten; Anpassung an die jeweilige (polit.) Lage; *Arbeiterbewegung* das Aufgeben der Klasseninteressen des Proletariats und die Unterordnung unter die Interessen der Bourgeoisie.
	Materialismus
philosophische Anschauung, daß alles Wirkliche stoffbedingt ist, alle Entwicklung	Grundrichtung in der Philosophie, die davon ausgeht, daß das Sein (die Materie) das Primäre und das Bewußtsein das Sekundäre

DUDEN WEST (1961)	DUDEN OST (1957)
von stofflichen Bewegungen herrührt; Streben nach bloßem Lebensgenuß	ist; der dialektische Materialismus (von Marx und Engels begründete wissenschaftliche Lehre) von den allgemeinen Bewegungs- und Entwicklungsgesetzen in Natur- und Gesellschaft; der historische Materialismus (die materialistische Geschichtsauffassung; Anwendung der Leitsätze des dialektischen Materialismus auf die menschliche Gesellschaft und auf ihre Geschichte).
	Determinismus
Lehre von der Unfreiheit des menschlichen Willens	Lehre von der objektiven Gesetzmäßigkeit und kausalen Bedingtheit aller Erscheinungen der Natur und der Gesellschaft.
	Blasphemie
Gotteslästerung; verletzende Äußerung über etwas Heiliges	Beschimpfung, Verhöhnung von Personen, Überzeugungen und Bräuchen, die allgemeine Verehrung genießen. [38]

Die zwischen West- und Ost-Duden feststellbaren semantischen Differenzen lassen sich wie folgt zusammenfassen: In einigen Fällen liegt eine Übertragung von einem Prädizierungsbereich in einen anderen vor, so z. B. bei den Wörtern „Brigade“, „Pionier“, „Überbau“. Solche Differenzen betreffen den Umfang ihrer möglichen Prädizierbarkeit, da die *deskriptive Bedeutung* erweitert wurde. Dies trifft auch auf das Wort „Blasphemie“ zu, dessen Prädizierbarkeit im Ost-Duden vom religiösen auf den nichtreligiösen Bereich ausgedehnt wurde. Daneben läßt sich aber auch im Ost-Duden eine Tendenz zur Bedeutungsverengung im Sinne einer Präzisierung beobachten, z. B. bei den Wörtern „Kapitalismus“, „Pazifismus“, „Sozialismus“, „Determinismus“. Was die Erweiterung der durch bestimmte Wörter prädizierbaren Gegenstandsbereiche betrifft, so werden dabei die oben erläuterten sprachtaktisch interessenbedingten Gesichtspunkte eine wichtige Rolle gespielt haben.

---

38 Moser, Folgen ..., S. 23 ff.

Nichtverbalisierte Interessen an einem einheitlichen Vokabular und dessen eindeutiger Interpretation zur Erleichterung zentral gesteuerter, politisch-ideologischer Konsensbildung dürften auch bei den im Ost-Duden festgestellten Bedeutungsverengungen (Präzisierungen) wirksam gewesen sein. Hier läßt sich eine Intention nach Übereinstimmung von Wortinterpretationen mit der Terminologie des „Marxismus-Leninismus“ beobachten, die gelegentlich sehr weit geht. So ist beispielsweise die Wortinterpretation von „Überbau“ nahezu wörtlich aus dem „Vorwort zur Kritik der politischen Ökonomie“ von Karl Marx übernommen.[39] Ähnliches trifft zu auf die im Ost-Duden vorgeschriebenen Interpretationen von „Imperialismus“, „Demokratie“, „Kapitalismus“, „Sozialismus“, „Proletarier“, „Bourgeoisie“, „Materialismus“, „Determinismus“.

Eine zweite wichtige Klasse semantischer Differenzen zwischen dem Mannheimer und dem Leipziger Duden betrifft die *emotiven Bedeutungen* der angeführten Wörter. So wird beispielsweise „Parteilichkeit“ in positiver Bedeutung verwendet,[40] ebenso Wörter wie „Bolschewismus“, „Demokratismus“, „Sozialismus“. Dagegen enthalten Wörter wie „Individualismus“, „Nationalismus“, „Neutralismus“, „Objektivismus“ eine negative emotive Standardisierung, ebenso wie „unkonkret“, „unkühn“, „unmarxistisch“.[41] Positive Bedeutung erhält das Wort „Masse“, das in zahlreichen Wortzusammensetzungen wie „Massengesellschaft, Massenarbeit, -aufgebot, -einsatz, -initiative, -organisation, -verordnung, -zentrum“ auftaucht.[42] Überhaupt weist die Vielfachverwendung von Worten wie „Volk“, „Masse“, „Klasse“, „Kollektiv“, auf deren positive Bedeutung hin.

Auch die Unterschiede in den emotiven Bedeutungen gleicher Wortkörper in der BRD und der DDR soll durch die Zusammenstellung einiger Beispiele belegt werden:

---

39 Vgl. Marx, K. und Engels, F., Werke Bd. XII, S. 9: „Mit der Veränderung der ökonomischen Grundlage wälzt sich der ganze ungeheuere Überbau langsamer oder rascher um. In der Betrachtung solcher Umwälzungen muß man stets unterscheiden zwischen der materiellen, naturwissenschaftlich treu zu konstatierenden Umwälzung in den ökonomischen Produktionsbedingungen und den juristischen, politischen, religiösen, künstlerischen oder philosophischen, kurz, ideologischen Formen, worin sich die Menschen dieses Konflikts bewußt werden und ihn ausfechten.“

40 Moser, Folgen ..., S. 12.

41 Beispiele aus Moser, Folgen ..., S. 14 f.

42 Moser, Folgen ..., S. 21.

WEST DUDEN (1961)	OST DUDEN (1957)
	westlerisch
(betont) westlich eingestellt	westeuropäischen politischen, wirtschaftlichen und kulturellen Einrichtungen sowie Anschauungen (kritiklos) zugeneigt.
	Kosmopolitismus
Weltbürgertum	„Weltbürgertum«, Denkweise, die den Staatsbürger in erster Linie als Glied der gesamten Menschheit betrachtet; heute vor allem Ideologie des Imperialismus, die unter dem Vorwand „weltbürgerlicher" Gedanken das nationale Kulturerbe zerstört und die nationale Unabhängigkeit der Völker zu untergraben trachtet.
	Reformismus
Bewegung zur Verbesserung eines Zustandes oder Programms; im kommunistischen Sprachgebrauch: Bewegung innerhalb der Arbeiterklasse, die soziale Verbesserungen durch Reformen, nicht durch Revolutionen erreichen will	1. opportunistische Richtung in der Arbeiterbewegung, die soziale Veränderungen lediglich durch Reformen anstrebt und mit dem Verzicht auf revolutionären Kampf zur Stütze der kapitalistischen Gesellschaftsordnung wird. 2. Das Streben nach Reformen.
	Revisionismus
Streben nach Änderung eines bestehenden Zustandes oder eines Programms.	das Streben nach Änderung eines Zustandes oder eines Programms; dem Reformismus entsprechende, den Marxismus entstellende Strömung in der Arbeiterbewegung.
	Idealismus
Wissenschaft von den Ideen; Überordnung der Gedanken — Vorstellungswelt über die wirkliche; Streben nach Verwirklichung von Idealen	1. vom Materialismus überwundene philosophische Anschauung, die die Idee, den Geist und das Bewußtsein als das Primäre und Bestimmende betrachtet; 2. Richtung in Kunst und Literatur, die vom philosophischen Idealismus beeinflußt ist;

WEST DUDEN (1961)	OST DUDEN (1957)
	3. Begeisterung für ethische Ideale; umgangssprachlich für Selbstlosigkeit, auch Schwärmerei.
Existentialismus	
Existentialismus und Existenzphilosophie: Zusammenfassende Bezeichnung für die Gegenwartsphilosophie	Existentialismus und Existenzphilosophie: westeuropäische bürgerliche philosophische Strömung, die die pessimistisch und nihilistisch aufgefaßte menschliche Existenz in den Mittelpunkt des Philosophierens stellt.
Jobber	
Händler an der Londoner Börse, der nur im eigenen Namen Geschäfte abschließen darf	Wertpapierhändler an englischen Börsen; skrupelloser Spekulant.

An dieser Stelle müßten auch die Wörter „Imperialismus", „Militarismus", „Pazifismus", „Kapitalismus", „Opportunismus" aus der ersten Beispielliste noch einmal aufgeführt werden. [43]

Nach den Unterschieden im Spezialwortschatz, bei deskriptiven und bei emotiven Bedeutungen muß nun noch auf *Unterschiede in der Wortverwendung* eingegangen werden, soweit sich das aus der Untersuchung von Moser entnehmen läßt. In der Häufigkeit der Wortverwendung lassen sich seiner Meinung nach bedeutende Unterschiede zwischen der BRD und der DDR feststellen. Viele im Westen oft benutzte Wörter sind in der DDR im Rückgang begriffen oder ganz verschwunden. Hierbei handelt es sich vor allem um Bezeichnungen von Einrichtungen, die dort abgeschafft sind oder um Begriffe, die dort insbesondere aus politisch-ideologischen Gründen vermieden werden. Im Ost-Duden erscheinen nicht mehr Wörter wie „Berufsbeamter, -sportler, -gerichtsrat, Aufsichtsrat, Großkaufmann, Generalvertreter, Jungmannschaft, Jugendfürsorge, Schulgemeinde, Schulgeld, Armenrecht, -haus, -pfleger, Volks-, Mittelschule, Lehrerkonferenz, -rat, -kollegium . . ." [44]

43 Moser, Folgen . . ., S. 23 ff.
44 Moser, Folgen . . ., S. 18.

Weiter fehlen im Ost-Duden auch sonstige ideologisch „unpassende“ Wörter, z. B. solche Wortverbindungen, in denen „Volk“ in einem negativ emotiven Sinne verstanden werden könnte wie: „Volksschule, Volksschulleher, Volksbelustigung, -empfänger, Volksglaube“. Auch das Wort „Stand“ fehlt. An seine Stelle ist das Wort „Klasse“ getreten, das dafür neben anderen Worten eine häufige Verwendung findet.

Zu den in der BRD immer weniger, dafür in der DDR häufig verwandten Wörten gehören: „Klassenkampf, -charakter, -gesellschaft, -bewußtsein, -interesse, klassenverbunden, Arbeiterklasse, Proletariat, Bourgeoisie, Feudalherrschaft, -gesellschaft, Junkertum, Ausbeuter, Ausbeuterklasse, Ausbeutung, (Monopol-)Kapitalismus, kapitalistische Monopolherren, Imperialismus, imperialistisch, Werktätige, Vergesellschaftung, Reaktionär ...“ [45] Dafür fehlen im Mannheimer Duden Wörter wie „Verelendung“, „Volksdemokratie“ und „Monopolkapitalismus“. [46]

Hier könnte man vermuten, daß die Verständigung unter der westdeutschen Studentenschaft im Zuge ihrer Politisierung seit den Anfängen der sechziger Jahre mittels einer an Marx und anderen sozialistischen Autoren orientierten Terminologie zu einer gewissen Einebnung der Differenzen im Wortschatz beiträgt. Um dies zu erhärten, müßte jedoch noch genauer gruppen- und schichtspezifischen Differenzen innerhalb beider Gesellschaften nachgegangen werden. Wie überhaupt gesicherte Vermutungen über Art und Umfang des Wortschatzes und der Wortbedeutungen und davon abhängige signifikante Unterschiede in der Redepraxis der BRD und der DDR auf der Wortebene nur über repräsentative Wortschatz- und Wortinterpretationstests, nicht aber allein durch eine Analyse mehr oder weniger ideologisch „gelenkter“ Dudenausgaben ermittelt werden könnten.

Daneben läßt das von Moser bereitgestellte Material auch keine Schlüsse über den Grad der Verbindlichkeit der in den beiden Duden erfaßten Regeln der faktischen Wortinterpretation und Wortverwendung zu. Hierfür wäre es notwendig, analog zu Max Webers Unterscheidung zwischen einer juristischen und rechtssoziologischen Betrachtung von rechtlichen Normen, eine Unterscheidung zwischen der sprachwissenschaftlichen und sprachsoziologischen Betrachtung sprachlicher Normen einzuführen. Unterschieden werden

---

45 Moser, Folgen ..., S. 19.

46 Moser, Folgen ..., S. 24 ff.

müßte also zwischen bloßer „Geltung" „kraft Satzung" im Duden und faktischer Verbindlichkeit sprachlicher Normierungen.[47]

Für eine sprachsoziologische Untersuchung von Regeln der Wortinterpretation reicht es nicht aus, allgemein verbreitete derartige Regelungen zu registrieren. Vielmehr müßte zur Untersuchung ihrer faktischen Verbindlichkeit fortgeschritten werden, das würde bedeuten, zur Messung beobachtbarer positiver oder negativer Sanktionen, die auf die Verwendung bestimmter Worte bzw. Wortinterpretationen in bestimmten Situationen durch bestimmte Personen, Gruppen oder Organisationen erfolgen.[48]

Solche Sanktionen dürften überall dort zu erwarten sein, wo das Durchbrechen der für eine Sprache grundlegenden Regeln sprachliche Verständigung überhaupt extrem erschwert oder gar unmöglich macht.[49] Sanktionen dürften aber auch dann zu erwarten sein, wenn ein Mitglied einer Gruppe gegen gruppenoffizielle Sprachregelungen verstößt und dadurch von den formell oder informell definierten Orientierungen und Zielen dieser Gruppe

---

47 Weber, M., Wirtschaft und Gesellschaft, Köln und Berlin 1964, S. 233—250. Zum Problem der „Verbindlichkeit" von Normen vgl. Geiger, Th., Vorstudien zu einer Soziologie des Rechts, Neuwied und Berlin 1964, S. 205—290.

48 Zum Sanktionsbegriff vgl. Spittler, G., Norm und Sanktion. Untersuchungen zum Sanktionsmechanismus, Olten 1967, S. 27: „Sanktionen sind nicht einfach Nachteile. Auch Abweichungen von Bräuchen haben nachteilige Konsequenzen. Von Sanktionen sprechen wir nur dann, wenn durch die Reaktion gezeigt wird, daß das abweichende Verhalten nicht hingenommen wird. Das kann eventuell erst nach weiteren Normbrüchen empirisch festgestellt werden. Die Unterscheidung von Sanktion und Nachteil ist wichtig, weil es sich um verschiedene Steuerungsmechanismen handelt. Bei einer Häufung von Abweichungen werden die Sanktionen verschärft, die Nachteile beim Abweichen von einem Brauch bleiben gleich."

49 Vgl. Cherry, Kommunikationsforschung ..., S. 35: „Menschliche Sprachen entwickeln ein Übermaß an Regeln, so daß einige übertreten werden können, ohne daß dies ernsthafte Schäden (für die Verständigung) zeitigte. Die Regeln, die wir Grammatik und Syntax nennen, sind unverletzlich, und unsere Aussichten auf eine erfolgreiche Kommunikation sind um so geringer, je mehr Regeln wir übertreten. Die verschiedenen Regeln ergänzen und vervielfältigen sich und gewährleisten so einen hohen Sicherheitsgrad. Wir können wohl gegen einige Regeln verstoßen, aber wir können sie nicht alle brechen, wenn wir innerhalb einer sozialen Gemeinschaft verbleiben wollen. Im Reich der Blinden ist der Einäugige *nicht* König — er ist ein kauderwelschender Idiot."

abweichende Interessen zum Ausdruck bringt. In diesem zweiten Fall wird es dann sicherlich Abstufungen in der Art der sanktionierenden Reaktion der Gruppe im Ganzen oder einzelner von der Gruppe dazu Berufener geben, je nachdem ob Abweichungen lediglich innerhalb der Gruppe (esoterisch) oder aber auch „nach außen", auch in „exoterischer" Redepraxis vorliegen.

Zweierlei leistet das zitierte Material jedoch zumindest. Es illustriert die analytische Nützlichkeit der Unterscheidung zwischen deskriptiver und emotiver Bedeutung von Wörtern und der bevorzugten Verwendung oder Vermeidung bestimmter „Kernwörter". Als zweites trägt es bei zur Verdeutlichung des Zusammenhangs zwischen der Geschichte einzelner Gruppen und ihrem gruppentypischen (Spezial-)Wortschatz, gruppentypischen Bedeutungen und Verwendungsweisen von Wörtern. So spiegeln sich allein schon im Eindringen russischer Lehnwörter und sozialistischer Terminologien im Wortschatz der DDR und im verstärkten Einfluß angelsächsischer Wörter im Bereich der BRD Differenzen im kollektiven Schicksal beider Gesellschaften.

5.4 Gruppentypische Hypothesen, Vorurteile und Sprachritualien

Gruppen unterscheiden sich in ihrer Redepraxis nicht nur durch die Verwendung gruppenspezifischer Bedeutungsträger, durch eigenwillige Interpretationen allgemein verbreiteter Wortkörper oder durch Vorlieben und Abneigungen gegenüber bestimmten „Kernwörtern". Auf einer komplexeren sprachlichen Ebene unterscheiden sich Gruppen auch durch Eigentümlichkeiten in ihrer Art zu urteilen. Dies ist die Ebene der gruppentypischen Uniformitäten des Behauptens und Glaubens, der Vermittlung und Konservierung von Gruppengefühlen in der Sprache und schließlich die Ebene der durch gemeinsame nichtsprachliche Interessen an der Gültigkeit bestimmter Urteile gesteuerten Solidaritäten im Denken und Handeln. Und wenn auch die Eigenarten von Gruppensprachen auf der Wortebene hier in ihrer systematischen Behandlung denjenigen auf der Urteilsebene vorausgingen, wird dennoch in der Regel die Beobachtung zeigen, daß Auswahl, Interpretation und Verwendung bestimmter Gruppenterminologien sehr weitgehend davon abhängen, wie Gruppen sich selbst, ihre soziale und physikalische Umwelt in Vergangenheit, Gegenwart und Zukunft beurteilen

Unterschiede in der Interpretation sprachlicher Dokumente und unmittelbarer Erlebniswelten sind zunächst bedingt durch Umfang und Art der Information, die beispielsweise einer „Berufsgruppe“ zur Verfügung stehen. Ein hoher Grad an Arbeitsteilung und — abhängig davon — ein hoher Grad an Rollendifferenzierung führen zwar möglicherweise zu beträchtlichen Akkumulationen bewährter Hypothesen in vielen Lebensbereichen, aus denen auch Prognosen über die Zukunft ableitbar sind. Der einzelne aber als Angehöriger gewöhnlich nur einer einzigen Berufsgruppe verfügt über einen meist stark begrenzten Umfang solcher bewährter Hypothesen. Er ist „Spezialist“ in einer Gruppe von Spezialisten und damit zugleich „Laie“ auf vielen anderen Wissensgebieten und Tätigkeitsbereichen, mit denen er aber dennoch in seiner Lebenspraxis konfrontiert werden kann, und bei denen er dann gezwungen ist, oft nur mittels weniger bewährter Hypothesen oder (affektiv besetzter) Vorurteile zu operieren.

Undurchschaubarkeit weiter Bereiche der sozialen Umwelt einerseits und die Wirkung herrschaftsvermittelter kollektiver Orientierungen andererseits machen es möglicherweise in gegenwärtigen Gesellschaftsformationen für den einzelnen schier unvermeidlich, in zahlreichen Fällen auf Verhaltenssteuerungen durch erlernte aber noch unreflektierte und unaufgelöste schematische oder emotiv fixierte Urteile zurückzugreifen. „Menschen sind dazu gezwungen, sich laufend über sich selbst, ihre Umwelt und über ihre eigene Lage in ihr zu orientieren. Für die Verwertung der Informationen, die uns unsere Sinnesorgane ständig übermitteln, bauen wir sekundäre Apparate auf, erwerben wir Schemata, deren lebenswichtige, lebensdringliche Zuverlässigkeit nicht weniger mit ihrer bornierten Persistenz gegen Korrekturversuche zu tun hat. Auch hier ist nicht die Vernunft, sondern die ‚Sitte‘, ist ein Brauch Wegweiser des Lebens, weshalb der einzelne erst mühsam erkennen muß, wann er schematische Beurteilungen, unausgesprochene Hypothesen außer Kraft zu setzen und aufmerksam zu werden hat, d. h. sich auf die Lösung eines Ausnahme- oder gar Erstproblems einstellen soll. Bei vielen derartiger Neu-Orientierungsleistungen wird er dann zusätzlich noch Konflikte mit der von ihm längst verinnerlichten Tradition zu bestehen haben.“ [50]

---

50 Brückner, P., Die Transformation des demokratischen Bewußtseins, in: Agnoli, J. und Brückner, P., Die Transformation der Demokratie, Frankfurt/M. 1968, S. 185.

Neben dem hier geschilderten, häufig unbewußten Dogmatismus und dem Umstand der oft zu wenigen und nicht herrschafts- bzw. interessenfrei vermittelten Informationen steht noch ein weiterer sprachgebundener Sachverhalt einer „vernünftigen", d. h. zwar bewußt geplanten aber nicht bloß technischen (Sprach-)Verhaltensorientierung im Wege.[51] Sprache dient nämlich nicht nur der Übermittlung von Information und der Beeinflussung. Sprache ist auch Medium kollektiver Gefühlserlebnisse. Dies ist ein wichtiger Aspekt des Sprachtyps, den Bernstein „öffentliche Sprache" (public language) nennt. Eine „öffentliche Sprache" dient nicht nur der wechselseitigen Übermittlung von Informationen über Personen, Gegenstände oder Ereignisse, sondern auch — oder vielleicht sogar in erster Linie — der Stimulation von emotiven Identitätserlebnissen innerhalb einer Gruppe. Bernstein schreibt: "A public language is one that contains a large number of idiomatic, traditional phrases, from which the individual chooses. Instead of an individual learning to create a language use, within which he can *select* to mediate his individual feelings, a *public*-language user tends to attach his feelings to social counters or tags that maximize the solidarity of the social relationships at the cost of the logical structure of the communication and the specifity of feeling. For traditional phrases, idioms, etc. tend to operate on a low casual level of generality, in which descriptive, concrete, visual, and tactile symbols are employed aimed at maximizing the emotive rather than the logical impact ..."[52]

---

51 Vgl. hierzu Habermas, J., Technik und Wissenschaft als Ideologie, Frankfurt/M. 1968. Habermas unterscheidet hier „zweckrationales" und „kommunikatives" Handeln. Unter zweckrationalem Handeln versteht er „entweder instrumentales Handeln oder rationale Wahl oder eine Kombination von beiden". Unter kommunikativem Handeln versteht er „symbolisch vermittelte Interaktion". „Sie richtet sich nach obligatorisch *geltenden Normen,* die reziproke Verhaltenserwartungen definieren und von mindestens zwei handelnden Subjekten verstanden und anerkannt werden müssen" (ebd. S. 62).

52 Bernstein, Social Class ..., S. 299. Vgl. hierzu auch Rothenburg, Publizistik ..., S. 62: „Sprache und Gedankenwelt des Arbeiters sind häufig von assoziierten Stereotypen abhängig. Wenn im Gespräch ein Wort fällt, assoziiert er dazugehörige stereotype Satzteile — z. B. Kapitalisten ‚Ausbeuter, Konzernherrn, Monokapitalisten'; bei der Rede vom kleinen Mann sogleich ‚der kleine Mann ist immer der Dumme'; wenn einmal irgendwann das Wort ‚Milch' fällt, wird sogleich als scherzhafte Bemerkung ‚die Milch der frommen Denkungsart' erwähnt."

Sprachverhalten dieser Art gerät in die Nähe von Gruppenriten. [53] Wie ja auch im Bereich religiöser Gruppen Zeremoniellsprachen zur Mobilisierung kollektiver Emotionen dienen, sei es auf dem Wege über Beschwörungsformeln durch einzelne oder sei es über gemeinsame sprachliche Handlungen in Form von gemeinsamem Gebet oder gemeinsamen Gesang. Hayakawa spricht deshalb bei rituellen Äußerungen von einer „vorsymbolischen Verwendung" der Sprache, da hier gewohnte Lautzeichen benutzt werden, „die keine Information übertragen, an die aber Gefühle (oft Gruppengefühle) gebunden sind". [54] Für Personen, die diesen Gruppen nicht angehören, kann es deshalb gelegentlich schwierig werden, den Sinn solcher Äußerungen zu durchschauen. „Das Abrakadabra einer Logenversammlung ist für jeden absurd, der kein Logenbruder ist." Denn: „Wenn eine Sprache rituell wird, bedeutet dies, daß ihre Wirkung in beträchtlichem Ausmaß unabhängig von den Bedeutungen wird, die die Worte früher hatten." [55]

Darin, daß Sprache auch als Medium kollektiver Gefühlserlebnisse fungiert, muß vielleicht auch ein wichtiger Grund für die Fixierung auf Verwendung

---

53 Vgl. hierzu Katz, D., and Schanck, R. L., Social Psychology, New York 1947 (6. Aufl.), S. 68: "Ritual, or ceremonial, is *standardized overt behavior of a non-logical sort.* It is non-logical in the sense that it is not the result of reflective thinking. It satisfies emotions, but does not afford a logical solution. It consists of a fairly elaborate pattern of overt behavior. Thus ritual refers not to ideas but to actions. Moreover, these actions are standardized. They are performed by every member of the group alike. Ordinarily we think of ritual only in connection with primitive groups which have long ceremonials in respect to their hunting, their religion, their agriculture, and their warmaking. Our society, however, is shot through with ritualistic performances." "Five characteristics should be noted: (1) the enduring basis of ritual is its satisfaction of emotional needs; (2) ritual affords the individual a sense of control in perplexing situations; (3) ritual is primary in that it precedes logical justification; (4) an established ritual broadens the base of its supporting motives; and (5) ritual is habit-forming" (ebd. S. 70).

54 Hayakawa, S. I., Semantik, Sprache im Denken und Handeln, Darmstadt 1968, S. 94: „Vorsymbolische Funktionen der Sprache haben dies Charakteristikum gemein: ihre Wirkung hängt nicht vom Gebrauch der Worte ab. Sie können sogar ganz ohne erkennbare Sprache ausgeübt werden. Ein Gruppengefühl kann zum Beispiel unter Tieren durch gemeinsames Bellen oder Heulen und unter Menschen durch anspornende Rufe bei College-Sportveranstaltungen, Gemeinschaftsgesang und anderen kollektiven Geräuschveranstaltungen hergestellt werden."

55 ebd.

bestimmter Worte und für die Persistenz von gruppentypischen Vorurteilen gesehen werden. Vorurteile dienen dann nicht nur dazu, den Ablauf kognitiver Prozesse zu beschleunigen und zu erleichtern. Sie sind wahrscheinlich auch nicht nur deshalb so widerstandsfähig, weil sie in der emotiven Erlebnisschicht des einzelnen fixiert sind. Indem man sie ausspricht, zeigt man darüber hinaus zugleich Solidarität mit der Gruppe, zu deren gruppentypischen Vorurteilsrepertoire sie gehören. Durch eine solche Bestätigung des Gruppenkonsens trägt man zur positive Empfindungen stimulierenden Maximierung der Identität der Gruppe im Bewußtsein aller Angehörigen bei, was bei einem Ausbleiben bestimmter erwarteter Stereotypen entfällt, worauf Sanktionsmechanismen der Gruppe erfolgen können. Dies gilt sicherlich in ähnlicher Weise auch für die Verwendung von Formeln und Wörtern unterhalb der Satzebene. Auch sie können ebenso wie die Verwendung bestimmter Vorurteile zum sprachlichen Erwartungshorizont einer Gruppe gehören, der je nach Art der Gruppe, und nach der jeweiligen Situation ebenso wie der Erwartungshorizont nichtsprachlicher Verhaltensweisen durch ein abgestuftes Sanktionssystem stabilisiert sein kann.

Aus dem eben Gesagten läßt sich schließen, daß in dem Maße, in dem eine Gruppe die Sprache ihrer Mitglieder mit Solidaritätsadressen und verbindlichen Normen durchsetzt, ein nichtstereotypisierter, analytischer Einsatz der Sprache verhindert wird. Dies kann zu einem schwerwiegenden Hindernis für Innovationen aller Art werden, denn ritualisierte Sprachen zeichnen sich durch hochgradige Redundanz aus, d. h. durch Formelhaftigkeit und ständige Wiederholung des schon allen längst Bekannten und deshalb auch von allen Kontrollierbaren. Es läßt sich vermuten, daß in den Bezirken, in denen es Gruppen zur formelhaften Verkarstung ihrer Sprache kommen lassen, diese Gruppen Innovationsfeindlichkeit zum Ausdruck bringen, ja ihren Mitgliedern indirekt Denkverbote signalisieren. Dies gilt etwa in Fällen, wo von „christlich-abendländischer Tradition“ oder „abendländischem Geist“, oder wo von „Recht auf Selbstbestimmung“, von „deutscher Spaltung“, von „Wiedervereinigung in Frieden und Freiheit“ und der „Bewahrung der freiheitlich-demokratischen Grundordnung“ usw. die Rede ist.

Analog zu solchen „bundesdeutschen“ Ritualisierungen können auch „DDR-deutsche“ Beispiele zitiert werden. Hier ist dann die Rede von „friedlichen Menschen der DDR“, oder vom „ruhmreichen Sowjetvolk“, vom „siegreichen Aufbau des Sozialismus", vom „starken Lager sozialistischer Kräfte", von „entschlossenen Arbeiterfäusten" usw. [56]

Nach der Bedeutung solcher Formeln fragen, hieße ihre Funktion verkennen. Wenn von politischen Sonntagsrednern, im Wahlkampf oder bei Regierungserklärungen diese und andere politische „Gruppengesänge" angestimmt werden, soll eben nicht hinterfragt sondern gemeinschaftsbekräftigend mitgesungen, in „Gruppengeräusche" eingewöhnt werden. Hier heißt es nicht mehr mitdenken, sondern nur noch mitfühlen. Denn die Ebene der sprachlichen Ritualien ist die Ebene des „geistigen Tierreichs", wo Sprache nicht mehr als Instrument hypothetisch-analytischer Weltorientierung eingesetzt sondern in regressiver Weise wieder zum bloßen Vehikel kollektiver Gefühlsausbrüche wird.

Vergegenwärtigt man sich für diesen Zusammenhang die oben bereitgestellte Unterscheidung zwischen sprachlichen Kommunikationsintentionen und nichtverbalisierten Kommunikationsinteressen, dann läßt sich die Ritualisierung der Sprache als Beispiel dafür verwenden, wie unausgesprochene Kommunikationsinteressen sprachliche Kommunikationsintentionen zu überwuchern vermögen. Dies wäre nämlich genau dann der Fall, wenn sprachliche Verständigung auf den bloßen Zweck der Herstellung einer „Gemeinschaft" reduziert wird, Sprechen dahin tendiert, nur noch an den einer Gruppe von Personen gemeinsam zur Verfügung stehenden emotiven Erlebnishorizont zu appellieren. Eine „Funktionalisierung" der Redepraxis liegt aber auch dort vor, wo sprachliche Kommunikationsintentionen gruppen- oder organisationstypischen unausgesprochenen Interessen der Erhaltung oder Erweiterung von Privilegien und Einflußchancen untergeordnet werden.

5.5 Gruppentypisches Interesse an Wortverwendungen, Wortbedeutungen und Urteilen

Die Trübungen der menschlichen Urteilskraft sind eines der ältesten philosophischen Probleme. Eine einflußreiche Systematisierung der für diese Trübungen verantwortlichen Gründe stammt aus dem 17. Jahrhundert von Francis Bacon. Sie ist in einem seiner Hauptwerke, dem „Novum organum scientiarum", enthalten und allgemein als „Lehre von den Idolen" bekannt geworden.

---

56 Beispiele aus Moser, Folgen ..., S. 38.

Bacon unterscheidet vier „Idole“ (idola — Götzenbilder), die den „menschlichen Geist besetzt halten“:

a) die idola tribus,
b) die idola specus,
c) die idola fori,
d) die idola theatri.[57]

Die idola tribus sind durch Unzulänglichkeiten der Wahrnehmungs- und Denkapparatur bedingt, wie sie dem Menschen als Gattungswesen eigentümlich sind. Hierbei handelt es sich offenbar um seiner Meinung nach prinzipiell unhintergehbare Erkenntnisschwierigkeiten, die in der Natur der menschlichen Wahrnehmungs- und Denkfähigkeit gründen und letztlich auf einen Gattungsdefekt zurückgeführt werden müssen.

Die idola specus sind Urteilstrübungen, die sich im Verlauf der affektiven und intellektuellen Entwicklung des einzelnen Menschen, bei seiner individuellen Bildung im Verlauf seiner sozialen Biographie einstellen. Sie sind bedingt einmal durch das besondere Temperament, die „eigentümliche“ und „besondere Natur“ eines jeden, zum anderen durch Sozialfaktoren wie „Erziehung“ und „Verkehr mit anderen“, durch „Bücher, die er gelesen hat“ und schließlich durch „Autoritäten, die er verehrt und bewundert“.[58] Die hierdurch hervorgerufenen Urteilstrübungen sind also prinzipiell korrigierbar: durch Verbesserung des Bildungssystems, Vermittlung gesicherter Hypothesen und durch Anwendung therapeutischer Methoden.

Die idola fori sind durch die Bildung der Gattung, durch die im Verlauf ihrer Entwicklungsgeschichte auftretenden unkorrigierten Irrtümer und Fehlentwicklungen bedingt. Bacon nennt sie idola fori (Götzenbilder des Marktes), „denn die Menschen gesellen sich zueinander vermittelst der Rede, aber die Worte werden den Dingen nach der Auffassung der Menge beigelegt.“ Diese Wörter aber „tun dem Verstande Gewalt an, stören alles und verleiten die Menschen zu leeren und zahllosen Streitigkeiten und Erdichtungen“.[59] Zur Urteilstrübung kommt es also hier, weil Menschen in ihren Sätzen vorgefundene Ausdrücke unkritisch übernehmen, an die

---

57 Ich zitiere nach Lenk, K., (ed.), Ideologie, Neuwied und Berlin 1967 (3. Aufl.), S. 63.

58 ebd.

59 ebd. S. 64.

Verwendung bestimmter Wörter emotiv gebunden sind und sich deshalb einer kritischen Rekonstruktion ihrer Bedeutung widersetzen oder aber, weil sie sich aus taktischen Gründen einer unpräzisen Ausdrucksweise bedienen. Eine prinzipiell mögliche Beseitigung der hierdurch hervorgerufenen Verständigungsprobleme wird dort schwierig, wenn nicht unmöglich, wo einzelne oder Gruppen — sei es aus Gründen der affektiven Bindung an bestimmte Worte, sei es aus taktisch-interessenabhängigen Gründen — sich einer interpersonellen Normierung bzw. Standardisierung der Bedeutungen von in Gesprächen benutzten, wichtigen Wörtern widersetzen.

Die letzte von Bacon aufgeführte Quelle für Fehlurteile sind die idola theatri, „Götzenbilder, welche in der Seele der Menschen aus den mancherlei Lehrsätzen der Philosophie und auch aus verkehrten Regeln der Beweise eingedrungen sind". [60] Bacon bezieht dies vor allem auf Irrtümer im Bereich der „allgemeinen Philosophie" und auf „manche Prinzipien und Lehrsätze der besonderen Wissenschaften, die durch Herkommen, Leichtgläubigkeit und Nachlässigkeit Geltung erlangt haben". [61] Wiederum modern interpretiert, wendet sich Bacon hier gegen wissenschaftstheoretische Vorurteile und einen sich daraus ergebenden Methodenpluralismus in den Einzelwissenschaften. Versuche zur Überwindung von gelegentlich als „Szientismus" gekennzeichneten wissenschaftstheoretisch-dogmatischen oder „positivistischen" Einstellungen liegen vor [62], haben sich aber noch nicht endgültig durchgesetzt, vielleicht auch deshalb, weil das zugrunde liegende Problem der „transsubjektiven" Rechtfertigung methodischer bzw. praktischer Normen noch als weitgehend ungelöst angesehen werden muß. [63]

In Bacons Systematik fehlt eine Erkenntnis, die später zu einem tragenden Gedanken der Ideologiekritik wurde, und die auch für diesen Zusammenhang von Bedeutung ist. Gemeint ist die Erkenntnis, daß Inhaber bestimmter Positionen innerhalb einer Gesellschaft ein Interesse an der Weitergeltung von fehlerhaften und von sowohl fehlerhaften wie emotiv fixierten

---

60 ebd.

61 ebd.

62 Vgl. Habermas, J., Erkenntnis und Interesse, Frankfurt/Main 1968; und Kambartel, F., Erfahrung und Struktur. Bausteine zu einer Kritik des Empirismus und Formalismus, Frankfurt/Main 1968.

63 Der Terminus „transsubjektiv" wurde von Lorenzen eingeführt im Zusammenhang mit einem Versuch zur Begründung praktischen Philosophierens. Vgl. Lorenzen, P., Normative Logic and Ethics, Mannheim 1969, S. 73 ff.

Urteilen haben. Noch präziser formuliert könnte man diese Einsicht auch so ausdrücken: es ist im Einklang mit den speziellen Absichten und allgemeinen Zielen der Inhaber bestimmter Positionen und wird von ihnen bewußt bei der Verfolgung dieser Absichten und Ziele genutzt, daß andere Mitglieder von Gruppen oder Gesellschaften — wider schon verfügbaren besseren Wissens — im Denken und gegebenenfalls auch im Handeln sich von traditionell überkommenen oder suggerierten, nachweislich falschen bzw. (grundlos) affektgesteuerten Urteilen leiten lassen.

Erinnert man sich nun noch an das im Abschnitt über taktisch-persuasiven Wortgebrauch Gesagte, dann kann die These aufgestellt werden, daß das traditionell vermittelte und sich ständig wandelnde Sprachmaterial einer (Groß-)Gruppe sowohl ein Potential emotiv prämierter bzw. abgelehnter dabei aber gleichzeitig deskriptiv vager Wörter als auch ein Potential ungenauer oder falscher Urteile bereitstellt. Beides kann zu manipulativen Zwecken ausgenutzt werden. Im folgenden Exkurs soll auf dieses Problem der interessengesteuerten Manipulation der Sprache durch herrschende Gruppen anhand von Beispielen eingegangen werden.

Exkurs: Herrschaft und Information

Der Zusammenhang zwischen Bewahrung und Weiterverbreitung von Vorurteilen, ihrer gesellschaftlich stabilisierenden Wirkung und den Interessen herrschender Gruppen an der Erhaltung und Rechtfertigung ihrer Privilegien und Einflußchancen wurde in der Nachfolge von Bacon durch die Religionskritik der Aufklärung aufgedeckt. So schreibt beispielsweise Holbach in seinem «Système de la nature ou des lois du monde physique et du monde moral»: „Die Obrigkeit ist gewöhnlich daran interessiert, daß die einmal verbreiteten Meinungen bestehen bleiben. Die Vorurteile und Irrtümer, die sie für notwendig erachtet, um ihre Macht zu sichern, werden mit der Gewalt ... aufrechterhalten.“ [64]

Auch in modernen Gesellschaften läßt sich ein Interesse an der Zurückhaltung von Informationen, an verschleiernder Verwendung bestimmter Wörter und an der Geltung bestimmter unpräziser und unrichtiger Urteile nachweisen.

64 Zitiert nach Lenk, Ideologie ..., S. 71.

Dies insbesondere auch bei Personen oder Gruppen, die sich in Herrschaftspositionen befinden. Hierfür zunächst einige Belege aus den (vertraulichen) „Anweisungen der Pressekonferenz der Reichsregierung des Dritten Reiches", die insbesondere auch deshalb als Beispiele angeführt werden, weil sich an ihnen gut demonstrieren läßt, wie (herrschafts-)interessenabhängige „Sprachregelungen" — dieses Wort wird in einem zitierten Text weiter unten selbst verwendet — von taktisch-manipulativer Festlegung der Verwendung von Urteilen bis hinab zur verbindlichen Regelung der Verwendung und Interpretation einzelner Wörter reichen kann:

> „Die Franco-Regierung ist zu nennen ‚spanische Nationalregierung', die anderen dürfen niemals mit dem Wort ‚Regierung' in Verbindung gebracht werden. Sie heißen schlechthin ‚die Bolschewisten'." (20. 11. 1936)

> „Es ergeht die dringende Anweisung, daß ab heute das Wort ‚Völkerbund' nicht mehr von der deutschen Presse verwendet wird. Dieses Wort existiert nicht mehr. Dafür soll das Wort ‚Genfer Entente' gesetzt werden. Dieses Wort kann jeweils ersetzt werden durch die Beiworte ‚zur Erhaltung des Versailler Diktats', ‚zur Bekämpfung des europäischen Friedens' usw." (13. 12. 1937)

> „Bei den Noten, die die englische und polnische Regierung betreffen, soll nicht von einer Kündigung gesprochen werden, vielmehr ist der Ausdruck ‚hinfällig geworden' als der richtige anzusehen. Die Grundlagen für die Verträge bestehen nicht mehr." (29. 4. 1939)

> „In allen Meldungen und Kommentaren muß das Wort ‚Krieg' vermieden werden. Deutschland schlägt einen polnischen Angriff zurück. Das ist die Devise." (1. 9. 1939)

> „Das Reichsministerium für Volksaufklärung und Propaganda hat gebeten, das Wort ‚Katastrophe' aus dem gesamten Sprachgebrauch auszumerzen und an die Stelle des Wortes ‚Katastropheneinsatz' das Wort ‚Soforthilfe' zu verwenden ...; das Wort ‚Katastrophe' wird durch die Bezeichnung ‚Großnotstände' ersetzt." (16. 3. 1944)[65]

---

65 Zitiert bei Schöfer, E., Die Sprache im Dienst des modernen Staates, in: Sprache im technischen Zeitalter, 7/63, S. 623.

Ähnlich illustrativ sind einige Auszüge aus den „Vertraulichen Zeitschriften-Informationen" des Reichspropagandaamtes Hessen-Nassau, in Frankfurt/Main: [66]

> V.Z.I. Nr. 33/39 v. 10. 11. 1939:
> „Die konfessionellen Zeitschriften haben die spezielle Aufgabe, darüber hinaus jetzt einmal das Walten der Vorsehung besonders zu betonen" (Zusatz für die „Kirchenpresse des Gaues" nach Richtlinien über die Behandlung des Münchner Attentats auf Hitler).
>
> V. Z. I. Nr. 13/39 v. 28. 10. 1939:
> „Von der Verleihung des Nobelpreises an einen deutschen Gelehrten ist keine Notiz zu nehmen."
>
> V. Z. I. Nr. 77/39 v. 9. 12. 1939:
> „1. Im Hinblick auf die bevorstehende Tagung des Völkerbundes wird daran erinnert, daß wir den Ausdruck ‚Völkerbund' in der deutschen Presse nicht mehr verwenden, sondern von ‚Genfer Liga' o. ä. sprechen.
> 2. Um die Einheitlichkeit unserer Berichterstattung zu wahren, ist bei Meldungen und Artikeln über die Attentate in Rumänien bei der Version zu bleiben, daß diese Verbrechen auf das Konto des Secret Service zu setzen sind."
>
> V. Z. I. Nr. 101/39 v. 20. 12. 1939:
> „Am 22. Dezember 1939 wird Stalin 60 Jahre alt. Darauf ist noch nicht einzugehen sondern eine Sprachregelung abzuwarten."
>
> V. Z. I. Nr. 37/40 v. 27. 1. 1940 (Geheim):
> „In letzter Zeit wurden vereinzelt Artikel und Reportagen über Sowjetrußland gebracht, in denen entweder die dortigen Verhältnisse in lobender Art herausgestellt wurden oder in sonstiger Form auf breiter Basis positiv über das Leben in der Sowjetunion geschrieben wurde. Derartige Veröffentlichungen sind unangebracht, da sie den Leser, der noch auf die jahrelangen politischen Auseinandersetzungen mit den Sowjets eingestellt ist und ein anderes Bild von den dortigen Verhältnissen hat, verwirren müssen. Es ist hierbei also noch besondere Zurückhaltung zu üben."

---

66 Zitiert bei Reimann, H., Kommunikationssysteme, Tübingen 1968, S. 182 f.

V. Z. I. Nr. 123/40 v. 19. 2. 1940:

„Ein Einzelfall gibt dazu Veranlassung, darauf hinzuweisen, daß Kommentare zu Reden führender Männer nur aufgrund der für die Zeitungen vom DNB (Deutsches Nachrichtenbüro, d. Verf.) verbreiteten Fassung geschrieben werden dürfen. Keinesfalls dürfen die Zeitschriften auf Dinge eingehen, die sie selbst am Rundfunk mitgeschrieben haben und die später in der amtlichen Fassung nicht enthalten sind."

V. Z. I. Nr. 210/40 v. 28. 3. 1940 (Geheim):

„16. Bei allen entsprechenden politischen Betrachtungen muß immer wieder der Begriff Plutokratie, deren Verkörperung die britische Regierung und der ganze englische Parlamentsklüngel sind, herausgearbeitet werden, um hierdurch für die Öffentlichkeit einen feststehenden und propagandistisch klar verständlichen Begriff zu prägen. Die Herausstellung der britischen Regierung, etwa wie eine ‚Regierung der Aufsichtsräte' oder eine ‚Interessengemeinschaft der Geldverdiener' muß zu einer charakteristischen Bezeichnung der englischen Plutokratie im Gegensatz zum englischen Volk werden."

V. Z. I. Nr. 351/40 v. 1. 8. 1940 (Geheim):

„5. Hinsichtlich der Behandlung des französischen Problems ist für die nächste Zukunft folgendes zu beachten: nach wie vor muß diese Polemik unter dem Gesichtspunkt geschrieben werden, daß die französische Rechnung noch nicht beglichen ist. Es darf also keine unangebrachte weichherzige Stimmung im deutschen Volk entstehen. Andererseits muß aber auch alles vermieden werden, was geeignet wäre, Frankreich gewaltsam in die Arme Englands zu treiben und der Bewegung des Generals de Gaulle Auftrieb zu verschaffen. Es muß also alles auf den Tenor abgezielt sein, daß kein Gedanke einer deutsch-französischen Verbrüderung aufkommt, aber doch im Unterton einmal zum Ausdruck kommt, daß Frankreich doch langsam zu begreifen scheint, daß es zu Europa gehört und daß es von den englischen Piraten nichts zu erwarten hat. Es sollen also mit anderen Worten im Rahmen der Gesamtpolemik mit Frankreich wieder einmal einige wohlwollende Worte für Frankreich durchklingen."

V. Z. I. Nr. 387/40 v. 4. 10. 1940 (Geheim):

„3. Eine ostmärkische Zeitung hat einen Artikel veröffentlicht, ‚Längere Verdunkelung, höhere Kriminalität'. Der Abdruck dieses Artikels und die Behandlung dieses Themas sind untersagt."

V. Z. I. Nr. 397/40 v. 25. 10. 1940 (Geheim):

„2. Es ist schon mehrfach darauf hingewiesen worden, daß der Ausdruck ‚Evakuierung' in der deutschen Presse nicht mehr gebraucht werden soll. Trotzdem sind aber wieder Verstöße gegen die Anordnung vorgekommen. Es wird nochmals darauf hingewiesen, daß für das Wort die Bezeichnung Kinder-Landverschickung angewendet werden muß."

Auch in der DDR scheint eine weitgehende und zentral gesteuerte Regulierung der öffentlichen Informationspraxis von seiten der herrschenden Gruppen im Staats- und im Parteiapparat üblich zu sein. Auf der dritten Pressekonferenz des ZK der SED im April 1959 wurden Richtlinien für die Gestaltung der Publikationsorgane der DDR weitergegeben. Im Beschluß des Politbüros vom 29. 4. 1959, der die Ergebnisse dieser Konferenz wiedergibt, war dann folgendes zu lesen:

„Die sozialistische Umwälzung in der DDR erfordert in der journalistischen Arbeit eine neue Qualität, die sich sowohl im Inhalt als auch in der Gestaltung auswirken muß.

Das verlangt:

1. Ausgangspunkt der Arbeit der Redaktion sind die Beschlüsse der Partei und Regierung. Auf ihrer Grundlage ist täglich zu argumentieren, und die Fragen der Volksmassen sind offen und prinzipiell zu beantworten. Schnelles Reagieren ist notwendig, damit sich falsche und feindliche Auffassungen nicht festsetzen können. Das verlangt, vor dem Leser mit treffsicheren Argumenten und exakten Formulierungen der Hauptideen des Kampfes für den Frieden und für den Sieg des Sozialismus aufzutreten. Bereits in den Überschriften, die polemisch sein, Tatsachen charakterisieren und zum Lesen anregen sollen, müssen diese Hauptideen zum Ausdruck kommen.

Als kollektiver Agitator, Propagandist und Organisator hat jedes Publikationsorgan nicht nur das Denken zu beeinflussen und zu verändern, sondern gleichermaßen auf allen Gebieten die sozialistische Umwälzung auszulösen und zu organisieren.

Die Nachrichtengebung und die Information über Hintergründe gesellschaftlicher Ereignisse sind von den Redaktionen mehr zu pflegen, da sie einen wesentlichen Bestandteil kämpferischer Agitation bilden. Die dilettantische Methode, jeder Nachricht einen Kommentar anzuhängen, statt mit der Nachricht zu kommentieren und zu überzeugen, ist endgültig abzuschaffen."

In einer internen ADN-Anweisung heißt es:

„2. Die kämpferische Parteinahme für die sozialistische Sache ist Voraussetzung und Bestandteil jeder Meldung, jeder Serie, jeder Zusammenfassung, jedes Bildes. Es gilt, alle Tendenzen zum Objektivismus zu überwinden und unsere Argumente schlagkräftig und leidenschaftlich anzuwenden ..." [67]

Was nun die Presse in den „westlichen Demokratien", beispielsweise die der BRD betrifft, so darf man kaum auf eine ähnliche Freimütigkeit des Eingeständnisses ihrer Motive und Zielsetzungen hoffen. Meinungsmanipulation erfolgt zwar weniger zentralisiert und weniger durchsichtig, jedoch deshalb ganz sicherlich nicht weniger wirkungsvoll. Jürgen Habermas hat im Falle der BRD und aller übrigen privatkapitalistisch verfaßten Gesellschaften den Zerfall einer „kritischen Öffentlichkeit" als Prozeß ihrer „Refeudalisierung" durch privilegierte Privatinteressen einerseits und „public-relations" („Öffentlichkeitsarbeit") staatlicher bzw. politischer Mächte andererseits beschrieben. [68]

In der Tat besteht in der BRD ein hoher Grad an Verflechtung zwischen Presse, Parteien und privatwirtschaftlichen Finanzinteressen. [69]

---

67 Zitiert bei Schöfer, Sprache ..., S. 624; hier auch weitere Hinweise.

68 Habermas, Strukturwandel ..., S. 236: „Die Parteien und ihre Hilfsorganisationen sehen sich genötigt, die Wahlentscheidungen publizistisch in Analogie zum Reklamedruck auf Kaufentscheidungen zu beeinflussen — es entsteht das Gewerbe des politischen Marketing. Die Parteiagitatoren und Propagandisten alten Stils weichen parteipolitisch neutralen Werbefachleuten, die angestellt sind, um Politik unpolitisch zu verkaufen ..." „Statt öffentlicher Meinung spielt sich in der manipulierten Öffentlichkeit eine akklamationsbereite Stimmung ein, ein Meinungsklima ..." (ebd. S. 238).

69 Vgl. hierzu zahlreiche Hinweise bei Schöfer, Sprache ..., S. 625 f. und in: Imperialismus Heute, Berlin 1965, S. 160—199.

Schöfer führt die langjährige antikommunistische Grundeinstellung bundesrepublikanischer Massenmedien auf diese Verflechtung zurück.[70] Und er konnte noch 1963 bemerken: „Es ist — von verschwindenden Ausnahmen abgesehen — unmöglich, in westdeutschen Presseorganen einen neutralen geschweige denn einen positiv gefärbten Bericht über Zustände in der DDR zu finden. Nur was — im antikommunistischen Sinn — als deutlich negativ aufgefaßt werden kann, wird referiert. Daß es über andere Dinge zu berichten gäbe, sagt einem nicht nur das Studium ausländischer Zeitungen, sondern der gesunde Menschenverstand.“ [71] Schöfer bringt für diese Behauptungen eine Reihe von Belegen[72] und resümiert wie folgt: „Die Konzentration der Macht in den modernen Staaten und die durch Technik und Organisation ermöglichte zentrierte Verfügungsgewalt über die Publikationsmittel, wel-

---

70 Schöfer, Sprache ..., S. 626.

71 ebd. Was Informationsmöglichkeiten über moderne Aspekte der Gesellschaft in der DDR betrifft, so sind wir heute weder allein auf ausländische Pressestimmen noch auf den „gesunden Menschenverstand“ angewiesen. Vgl. hierzu beispielsweise Dahrendorf, R., Gesellschaft und Demokratie in Deutschland, München 1968, S. 448—464 und die dort angegebene Literatur.

72 Schöfer, Sprache ..., S. 626 f. Vgl. insbesondere S. 627: „Jahrelang wagte hier keiner von DDR ohne Gänsefüße irgendwelcher Art zu sprechen. So war es noch im Sommer 1960 in einem Seminar über ‚Die Sprache im geteilten Deutschland'. Erst als ein junges Semester als Beleg für östliche Sprachlenkung anführte, daß man dort nur von der ‚sogenannten Bundesrepublik' sprechen dürfe, wurde manchen klarer, wie tief und wie naiv man selbst im Glashaus sitzt. Der scheinheilige Begriff ‚Mitteldeutschland', heute synonym mit ‚Zone' und dem früheren ‚Ostdeutschland' überall im Schwange, soll eine unpolitisch-geographische Bezeichnung sein, während er doch, wie ein schwedischer Germanist treffend sagte, ‚ein ganzes außenpolitisches Programm lanciert'. Als es vor gut drei Jahren opportun wurde, die ‚freien Wahlen' aus der Phalanx der Schlagwörter zurückzuziehen, klebten in allen Städten die Plakate des ‚Kuratorium Unteilbares Deutschland' mit der Forderung nach ‚Selbstbestimmung' und dieser Terminus ist bis heute tonangebend. Der Ausdruck ‚Schandmauer' dessen hamburgisch-berliner Provenienz unübersehbar ist, ist das letzte, eindrucksvolle Beispiel für die Lancierung eines Begriffes, der allen Benutzern eine realistische Einsicht in die Begründung des mit ihm benannten Auswuchses mißglückter Politik abschneiden und die Psychose an ihre Stelle setzen soll. Bände spricht so für den Hörfähigen auch die von der Arbeitsgemeinschaft in die BRD geflüchteter Soldaten und Polizisten vorgebrachte Bitte, die an der Grenze wachtuenden Soldaten nicht ‚Mauerwächter, Russenknechte, KZ-Wächter' usw. zu nennen. (Pressemeldung vom 12. 8. 63).“

chen die Bevölkerung in zunehmendem Maße mehr ausgesetzt ist, als daß sie ihrer wirklich bedürfte, die Existenz der gewaltigen Ansammlungen von Menschen selbst, die diese Staatsform und Publikationsmittel erst nach sich ziehen, sind die Hauptfaktoren, von denen die heute gegebene staatliche Beeinflussung des Menschen in seinem Denken und Handeln durch die Sprache in allen technisierten Ländern bestimmt wird." [73]

5.6 Ideologieanalyse

Interessierte Verzerrung sprachlicher Information macht nach wie vor Ideologiekritik zu einem notwendigen Geschäft, das jedoch nur dann noch auf dem Niveau der oft sehr subtilen Techniken moderner Massenbeeinflussung bewältigt werden kann, wenn die traditionelle, noch nicht explizit sprachkritisch orientierte Ideologieanalyse [74] durch das Instrumentarium der Sprachkritik ergänzt und die Vielschichtigkeit und Komplexität der Kommunikationszusammenhänge moderner Gesellschaften berücksichtigt werden. Im folgenden soll ein Schritt zur Weiterentwicklung einer sprachkritisch orientierten Ideologieanalyse vorgeschlagen werden.

Die Behandlung des gruppentypischen Interesses an der verbreiteten Geltung bestimmter (fehlerhafter oder ungenauer) Urteile legt es nahe, Ideologieanalyse — und das meint hier die Analyse des Zusammenhangs von Urteil und Interesse — auf drei Ebenen der Vermittlung von Information zu behandeln.[75] Zwei Gesichtspunkte werden dabei von Bedeutung sein. Zum einen erscheint es für die Ideologieanalyse wichtig, ob der einzelne in seiner Rolle als Mitglied einer bestimmten Gruppe einen *bewußten* oder aber einen *unreflektierten* Gebrauch von Urteilen macht, zum anderen, ob benutzte Urteile für einzelne oder Gruppen *entscheidungsrelevant* sind oder ob sie es nicht sind.

---

73 Schöfer, Sprache ..., S. 632.

74 Vgl. hierzu die von Lenk unter dem Titel „Ideologie" zusammengestellten Texte.

75 Die Unterscheidung dieser drei Ebenen geht auf eine Anregung von Ralf Dahrendorf zurück.

5.6.1 Exoterische Rede- und Informationspraxis

Bei der Analyse des Zusammenhangs von Urteil und Interesse auf den ersten beiden der drei angekündigten Ebenen greife ich auf die oben im Anschluß an Goffman getroffene Unterscheidung zwischen „exoterischer" und „esoterischer" Rede- bzw. Informationspraxis zurück (vgl. oben S. 97 f.) Zur ersten Ebene gehören dann all jene Urteile, Formeln und Wortgebräuche, an deren gruppenexternen Geltung und Verwendung ein bestimmter Kreis von Personen interessiert ist, deren vermeintliche Richtigkeit und Verwendung daher von Mitgliedern einer solchen Gruppe — sei es aus Gründen der Selbstbehauptung oder Einflußmaximierung — bewußt suggeriert oder aber — wider besseren Wissens — nicht dementiert oder abgebaut werden. Zu solcher exoterischen Rede- bzw. Informationspraxis gehören insbesondere alle Urteile, die direkt Produkte oder Verhaltensweisen von Gruppen positiv bewerten, oder die mehr indirekt beispielsweise den Kauf bestimmter Produkte oder die Wahl bestimmter Parteien fördern — ohne daß diese positiven Bewertungen ausreichend begründet werden, solange es also bei bloßer Suggestion bleibt. Typische Formen exoterischer Informationspraxis wären demnach die moderne Massenwerbung und Propaganda, soweit es sich um gezielte, d. h. bewußt verfolgte Stimulation von — den Empfängern selbst nicht notwendig bewußten — Motiven oder um Bekräftigung von Vorurteilen handelt, die im Interesse bestimmter Produzenten oder Parteien wirken und zu diesem Zweck von Werbeagenturen bzw. Pressereferenten ausgearbeitet und in den Medien verbreitet werden. Wichtig für den hierbei auftretenden Manipulationseffekt ist nicht allein der Umstand, daß gezielten Strategien auf seiten der Informationsspender oft nur halb- oder unbewußte Reaktionen auf seiten der Informationsempfänger gegenüberstehen. [76] Wichtig ist hierfür auch noch, daß dem Interesse an der Verbreitung solcher Urteile so gut wie ausschließlich ein Interesse an der bloß gruppenexternen Entscheidungs- bzw. Orientierungsrelevanz dieser Urteile zugrunde liegt. Das bedeutet: Die im Interesse bestimmter Gruppen durch Werbung und Propaganda verbreiteten Urteile sollen, dem damit verfolgten unausgesprochenen Kommunikationsinteresse gemäß, zwar für die Zielpersonen (Empfänger) entscheidungsrelevant sein; sie sind dies jedoch nicht —

---

76 Vgl. hierzu Maletzke, G., Psychologie der Massenkommunikation, Hamburg 1963.

zumindest nicht notwendig — für diejenigen, die Interesse an ihrer verbreiteten Entscheidungsrelevanz haben. Konkreter gesprochen: Ein Produzent von Waschmitteln wird sich bei der Planung seiner Produktion u. a. von möglichst exakten Marktanalysen und Preiskalkulationen leiten lassen, die ihrerseits — wie noch zu erläutern sein wird — schon zum „esoterischen" Informationsbereich gehören. Er wird sich aber hierbei nicht um die Urteile kümmern, mit deren Hilfe beauftragte Werbeagenturen den Kauf seiner Produkte zu suggerieren suchen. Nicht die bezweifelbare „Tatsache", daß das Waschmittel xy das „weißeste Weiß" herbeizaubert, hat seine Produktion motiviert, sondern Produktionszwang und Profitorientierung eines Großunternehmens. Bei den Gründen, die zum Kauf „anregen" sollen, handelt es sich lediglich um (ex post) Rationalisierungen exoterischer Sprache. Ähnliches gilt für politische Propaganda. Hier bleibt es ein interessanter Gegenstand der Analyse, ob, und wenn ja, in welchem Ausmaß, die oft noch weltanschaulich verbrämten Sätze, mittels derer politische Parteien oder herrschende Cliquen nach außen Massenloyalitäten zu erhalten und zu mobilisieren suchen, für ihr faktisches Verhalten tatsächlich verbindlich sind, d. h. bei politischen Entscheidungen der Partei- oder Gruppenführung eine Rolle spielen. Auch hier werden in der Regel eher möglichst exakte Kosten-Nutzen-Analysen im Vordergrund stehen und für Entscheidungen ausschlaggebend sein.

5.6.2 Esoterische Rede- und Informationspraxis

Die Ebene der esoterischen Rede- und Informationspraxis ist die zweite Ebene, auf der ein Zusammenhang zwischen gruppentypischen Urteilen und gruppentypischen Interessen untersucht werden kann. Es gibt sehr wahrscheinlich in allen Arten mehr oder weniger fest organisierter Gruppen ein typisches Interesse an gruppeninterner Geltung von Urteilen über Entscheidungsverfahren und Zielverfolgung. Mit ihrer Hilfe organisiert eine Gruppe ihre gruppeninternen und auch gruppenexternen Aktivitäten. Dies betrifft sowohl den Ablauf (Rollenverteilung) solcher Aktivitäten wie auch die ihnen zugrundeliegenden Absichten (Gruppenziele, -interessen). Hierzu gehören Regeln der unterschiedlichen Verteilung von Anordnungsbefugnis und der unterschiedlichen Verteilung von Ressourcen ebenso wie alle sonstigen wichtigen Regeln und Informationen zur internen und externen Selbstbehauptung. Als Beispiel wäre hier an das Interesse von Gruppen an der Verbindlichkeit ihrer Satzungen und Geschäftsordnungen und ihr Interesse an verläßlichen und möglichst exakten, weil entscheidungsrelevanten, Urteilen zu erinnern.

Sowohl das Interesse an der exoterischen, wie auch das Interesse an der esoterischen Geltung bestimmter Urteile ist eingebettet in eine bewußt verfolgte Strategie, ist Teil taktischer Überlegungen und Maßnahmen der Angehörigen von Gruppen. Es wird hier nun vermutet, daß exoterischen und esoterischen Urteilen unterschiedliche Grade der Entscheidungsrelevanz bei Handlungsplanungen zukommen. Exoterische Urteile dienen, wie exoterische Rede- und Informationspraxis überhaupt, der gruppenexternen Massenmobilisierung im Sinne gruppenintern entworfener Gruppenziele wie Gewinnmaximierung und Stimmenzuwachs oder allgemeiner: der Mobilisierung von Unterstützung. Esoterische Regeln und Informationen werden demgegenüber oft nicht nur vertraulich behandelt, sondern insbesondere sie sind es auch, auf deren Basis die Gruppenführung ihre Entscheidungen fällt.[77] Der Unterschied zwischen esoterischer und exoterischer Redepraxis kann auch dadurch gekennzeichnet werden, daß im Bereich esoterischer Rede nicht ausschließlich der „taktische Wert" sondern in der Regel primär der „Wahrheitswert" von Behauptungen für Entscheidungen relevant wird.

---

77 Vgl. hierzu Conolly, W. E., Political Science and Ideology, New York 1967, S. 2 f.: "... an ideology is an integrated set of beliefs about the social and political environment. It purports to tell us how the system is organized, which desired goals can be promoted, what agencies and channels can most effectively be employed to forward the goals in the given setting, and what the required action will cost various groups in the short and long run in terms of status, power, happiness, wealth and so on. Diverging ideologies, of course, carry contrasting implications for political action." "If an ideology concerns itself with significant questions, then invariably it contains assumptions and beliefs which have not been reliably tested but are in some degree 'accepted on faith'. Thus in situations of limited knowledge, ideologies fill the void of uncertainty with beliefs designed to direct and guide political activity." "Ideologies are essential to responsible decision-making in these conditions of limited empirical control. Yet in such conditions the ideological beliefs of the agent tend to reflect his predispositions to believe; he tends to construe the environment in ways that support the values, aspirations, and interests he brings to the empirical situation. In this sense, ideologies are 'value-impregnated' systems of social and political belief." "An ideology assimilates information in ways that preserve its basic integrity; it consists of a system of mutually reinforcing beliefs, which appear plausible when viewed from within."

Die Formulierung exoterischer Rede erfolgt erst post festum, d. h. nach Sammlung „wahrheitsgemäßer“ Daten und nach der Wahl gruppen- bzw. organisationszielkonformer Maximen. Wegen ihrer ausschließlich taktisch-interessenabhängigen Kommunikationsintention soll hierfür der Terminus „Manipulationsideologie“ eingeführt werden. Die Funktion „politischer Hermeneutik“ (vgl. oben Seite 68) ist es dann, für eine gewisse Kontinuität insbesondere im Bereich solcher Manipulationsideologien zu sorgen, von der man sich offenbar eine identitätserhaltende und deshalb integrationsfördernde Wirkung verspricht und dies gerade unter Bedingungen faktischer Diskontinuität im Bereich der Zielverfolgung.

5.6.3 Hintergrundsideologien

Exoterische und esoterische Urteile im eben dargestellten Sinne gehören beide zur Klasse der in taktischer und strategischer Absicht bewußt ausgearbeiteten Orientierungen. Wie die Erörterung von Urteilen im 3. Kapitel jedoch gezeigt hat, wäre es Ausdruck eines kaum belegbaren Rationalismus, wollte man behaupten, daß sich die täglich benützten Orientierungen in der Klasse dieser bewußt ausgearbeiteten und beständig revidierbaren Urteile erschöpfen. Es verhält sich vielmehr schon aus denkökonomischen Gründen so, daß eine Vielzahl auch der handlungsrelevanten Urteile aus übernommenen und nur in wenigen Fällen mehr als oberflächlich geprüften Hypothesen (Stereotypen, Schematisierungen) bestehen. Von den emotiv fixierten Urteilen sei hier einmal ganz abgesehen. Aus diesem Grunde wäre es unvollständig, würde der Zusammenhang von Urteil und Interesse nur auf den beiden beschriebenen Ebenen jederzeit bewußter und kontrollierter Urteile behandelt werden. Neben den (bewußt) erarbeiteten bzw. unangetasteten aber der Absicht nach nur für den Empfänger entscheidungsrelevanten Orientierungen und den (bewußt) erarbeiteten und innerhalb einer Gruppe für beide: Sender und Empfänger entscheidungsrelevanten Orientierungen erscheint es sinnvoll, auch entscheidungsrelevante Orientierungen auf der halb- oder unbewußten Ebene anzunehmen, die innerhalb und außerhalb von Gruppen wirksam sind. Auf dieser Ebene wäre es dann sicherlich nützlich, noch einmal zwischen analytisch zugänglichen und damit auch kritisch rekonstruierbaren oder revidierbaren Orientierungen einerseits und (noch) nicht verbalisierten Orientierungen zu unterscheiden. Die Frage, ob hier dann noch prinzipiell unerkennbare Schranken menschlicher

Urteilskraft und somit unkorrigierbare, weil unhinterfragbare Orientierungen angenommen werden müssen, hat schon Bacon in seiner Konzeption der idola tribus aufgeworfen. Sie soll hier aber nicht weiterverfolgt werden. Die prinzipielle Vorläufigkeit unserer Kenntnisse zumindest ließe sich in Richtung auf einen „Gattungsdefekt“ bei unserer Art der Erarbeitung von Informationen und ihrer Verwertbarkeit interpretieren.

In den hier angesprochenen Bereich der noch nicht explizit registrierten, jedoch wirksamen, weil unausgesprochen verfolgten Orientierungen könnte vielleicht jene von Habermas untersuchte „Perspektive“ gehören, gemäß der die „Entwicklung des gesellschaftlichen Systems durch die Logik des wissenschaftlich-technischen Fortschritts bestimmt zu sein *scheint*“.[78] Nach Habermas handelt es sich hierbei um eine technokratische „Hintergrundsideologie“, nach der die immanente Gesetzlichkeit eines wissenschaftlich-technischen Fortschritts „Sachzwänge“ produziert, denen dann eine „funktionalen Bedürfnissen“ gehorchende Politik zu folgen hat. Weiter heißt es bei Habermas: „Die eigentümliche Leistung dieser Ideologie ist es, das Selbstverständnis der Gesellschaft vom Bezugssystem des kommunikativen Handelns und von den Begriffen symbolisch vermittelter Interaktion abzuziehen und durch ein wissenschaftliches Modell zu ersetzen.“ Dies bedingt zugleich eine geringe Wertschätzung von Bildungsprozessen im Bereich der kommunikativen Fähigkeiten und der lebenspraktischen Verständigung zugunsten der Einübung von lediglich zweckrational-adaptiven Verhaltensweisen.[79] In einer etwas früher veröffentlichten Arbeit hatte Habermas

---

78 Habermas, J., Technik und Wissenschaft als „Ideologie“, Frankfurt/Main 1968, S. 81.

79 Habermas, Technik . . ., S. 81 f. Vgl. auch S. 90 f: „Im technokratischen Bewußtsein spiegelt sich nicht die Diremption eines sittlichen Zusammenhangs, sondern die Verdrängung der ‚Sittlichkeit‘ als einer Kategorie für Lebensverhältnisse überhaupt. Das positivistische Gemeinbewußtsein setzt das Bezugssystem der umgangssprachlichen Interaktion, in dem Herrschaft und Ideologie unter Bedingungen entstellter Kommunikation entstehen und reflexiv auch durchschaut werden können, außer Kraft. Die Entpolitisierung der Masse der Bevölkerung, die durch ein technokratisches Bewußtsein legitimiert wird, ist zugleich eine Selbstobjektivation der Menschen in Kategorien gleichermaßen des zweckrationalen Handelns wie des adaptiven Verhaltens: die verdinglichten Modelle der Wissenschaft wandern in die soziokulturelle Lebenswelt ein und gewinnen über das Selbstverständnis objektive Gewalt. Der ideologische Kern dieses Bewußtseins ist *die Eliminierung des Unterschieds von Praxis und Technik.*“

den Zusammenhang von Urteil und Interesse auf methodologischer Ebene als Zusammenhang von „Erkenntnis und Interesse“ analysiert.[80] Hieran anschließend stellt er nun fest, daß diese technokratische „Hintergrundsideologie“ eine Grundorientierung der Gattung überhaupt vernachlässigt, nämlich das Interesse an „Erhaltung einer Intersubjektivität der Verständigung“ und an „Herstellung einer von Herrschaft freien Kommunikation“.[81]

Mit dieser Habermas'schen Konzeption als Beispiel für eine den Ebenen gruppeninterner und gruppenexterner Interessen an Urteilen zugrundeliegenden dritten Ebene eines diesmal gattungsgeschichtlichen Zusammenhangs von Urteil und Interesse, soll das Kapitel über Elemente der Gruppensprache abgeschlossen werden. Das folgende Diagramm (III) versucht noch einmal die zuletzt behandelten Ebenen möglicher Ideologieanalyse zusammenzufassen. Eine wichtige Einschränkung muß jedoch abschließend gerade gegenüber dem in diesem Kapitel Gesagten hervorgehoben werden. So wesentlich die Analyse der Sprache für die Analyse des (bezugs-)gruppenorientierten Verhaltens überhaupt sein mag, so muß auch hierbei beachtet werden, daß das Sprechen eine Tätigkeit einzelner Personen ist und die Urteile dieser einzelnen in der Regel sich nicht vollständig und zu jeder Zeit in Übereinstimmung mit denjenigen bestimmter Gruppen befinden. Ebenso wie in Fällen nichtsprachlichen Verhaltens sind auch im sprachlich gebundenen Denken und in der Redepraxis einzelner „private“ Abweichun-

---

80 Habermas, Erkenntnis..., Vgl. als Ergänzung hierzu: Apel, K. O., Szientifik, Hermeneutik, Ideologiekritik, in: Man and World, Vol. I/1, 1968, S. 56: „Wären die Menschen sich selbst durchsichtig in ihren Intentionen, so wären zwei komplementäre Erkenntnisinteressen gerechtfertigt: das szientifische Interesse an der technisch relevanten Erkenntnis der Natur und das hermeneutische Interesse an der intersubjektiven Verständigung über mögliche Sinnmotivationen des Lebens. Aber die Menschen haben bis jetzt weder ihre politisch-soziale Geschichte ‚gemacht', noch sind ihre sog. geistigen Überzeugungen, wie sie in sprachlichen Dokumenten niedergelegt sind, reiner Ausdruck ihrer geistigen ‚Intentionen'. Alle Resultate ihrer Intentionen sind zugleich Resultate der faktischen Lebensformen, die sie bislang nicht in ihr Selbstverständnis aufnehmen konnten.“ Vgl. auch ebd. S. 60: „Der ‚terminus technicus' dieser dialektischen Vermittlung von ‚Verstehen' und ‚Erklären', lautet ‚Ideologiekritik'. Als ‚Psychoanalyse' der menschlichen Sozialgeschichte und als ‚Psychotherapie' der aktuellen Krisen des menschlichen Handelns scheint sie mir die einzige sinnvolle logische Begründung und moralische Rechtfertigung der objektiv-erklärenden Wissenschaft vom Menschen darzustellen.“

81 Habermas, Technik..., S. 91.

gen möglich. Gerade hier, im zunächst privaten Aufbrechen überkommener Denkgewohnheiten und Ausdrucksweisen, liegt doch eine wichtige Bedingung jeder Innovation. Es muß indessen noch einmal darauf verwiesen werden, daß die Chancen sprachlicher Neuerungen — d. h. neuer Unterscheidungen und neuer Behauptungen — und ihre Wirkung abhängen von der sozialen Kontrolle sowohl des sprachlichen wie auch des nichtsprachlichen Verhaltens, von den positiven und negativen Sanktionen, mit denen der einzelne hierbei von seiten seiner Umwelt zu rechnen hat.

Diagramm III

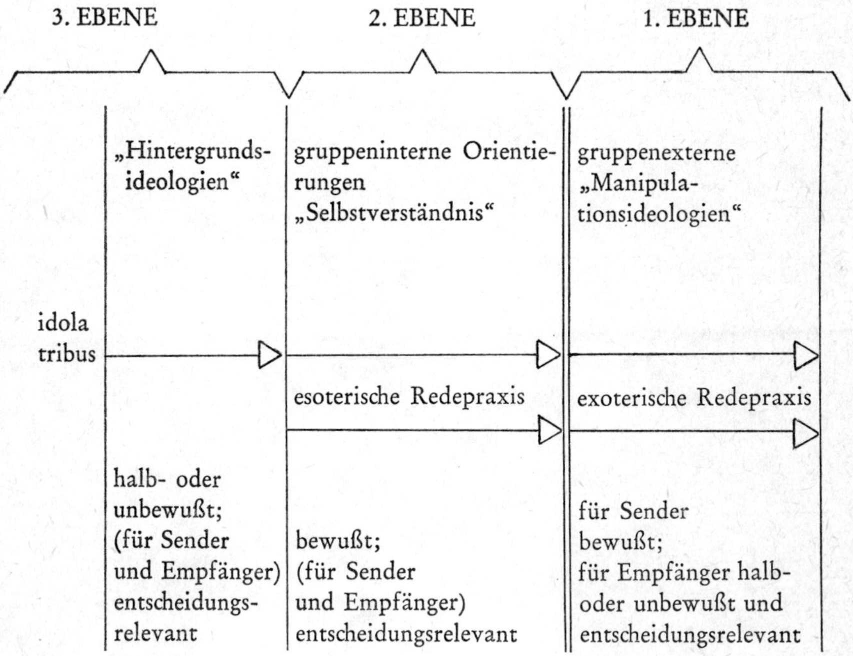

6.0 Sprachbarrieren und Möglichkeiten ihrer Überwindung

Die menschlichen Fähigkeiten zu sprechen, insbesondere die Fähigkeit zur (umgangs-)sprachlichen Kommunikation, ist für Interaktionsprozesse von grundlegender Bedeutung. Hierauf war in Kapitel 4 ausführlicher eingegangen worden. Diese Fähigkeit kann dazu eingesetzt werden, nichtsprachlich verursachte Konflikte und Differenzen zwischen Generationen, Subkulturen, ganzen Gesellschaften und anderen Gruppierungen jeder Art zu überwinden. Dies könnte etwa dadurch geschehen, daß interpersonell überprüfbare Problemanalysen und Problemlösungsvorschläge erstellt werden, die eine Basis für weitere sprachlich zu erreichende Verständigungen zwischen konfligierenden Gruppen bieten. Diese Fähigkeit zu sprechen kann aber auch (zusätzlicher) Anlaß zur Verschärfung von Konflikten sein, nämlich dann, wenn konfligierende Gruppen oder Personen sich nicht auf eine „gemeinsame Sprache" einigen können, denn dies muß als Bedingung der Möglichkeit jeder Problemanalyse und Problemlösung und, ausgehend davon, jeder Anbahnung einer gemeinsames Handeln ermöglichenden Verständigung angesehen werden. Die sprachlichen Gründe dafür, daß eine Einigung auf eine solche „gemeinsame Sprache" schwierig oder unmöglich wird, können nun genauer angegeben werden. Es handelt sich dabei um „Sprachbarrieren", die sowohl auf der Wort- als auch auf der Satz- bzw. Urteilsebene wirksam werden können. Sprachbarrieren auf der Wortebene liegen immer dann vor, wenn Gesprächspartner ein unterschiedliches Zeichenrepertoire haben, das ihnen eine gemeinsame Verständigung durch Worte unmöglich macht. Sie liegen aber auch dann vor, wenn Gesprächspartner über ein gemeinsames Zeichenrepertoire verfügen, sich aber nicht auf eine gemeinsame Verwendung bestimmter Bedeutungsträger oder aber zwar auf eine gemeinsame Verwendung, nicht jedoch über eine identische Interpretation dieser Bedeutungsträger (Worte) einigen können.

Auf der Satz- bzw. auf der Urteilsebene liegen Sprachbarrieren dann vor, wenn Gesprächspartner unterschiedliche Urteile verwenden. Solche unterschiedliche Urteile können durch unterschiedliche Informationen, unterschiedliche emotive Fixierungen auf die Verwendung bestimmter Urteile und durch unterschiedliche Interessen bewirkt werden. Allgemeiner ausgedrückt, handelt es sich bei Sprachbarrieren um Differenzen in den sprachlichen

Kommunikationsintentionen zweier oder mehrerer Kommunikationspartner. Solche Differenzen in den sprachlichen Kommunikationsintentionen, in der Wahl der Worte und Urteile und ihrer Interpretation, werden durch gesellschaftliche Randbedingungen kommunikativer Prozesse hervorgerufen. Hierbei lassen sich insbesondere zwei Faktorenklassen unterscheiden:

a) Faktoren, die im Zusammenhang mit der individuellen Biographie einzelner — die ja immer zugleich auch soziale Biographie ist — untersucht werden müssen;

b) Faktoren, die im Zusammenhang mit den Gruppen- bzw. Organisationszugehörigkeiten einzelner untersucht werden müssen.

Wenn am Ende des Kapitels über Elemente der Gruppensprache darauf hingewiesen wurde, daß dem einzelnen durchaus die Möglichkeit gegeben ist, — durch kritische Reflexion oder aufgrund persönlicher Erfahrungen — von vorgegebenen Ausdrucksweisen und Meinungen abzuweichen, dann gilt es dabei noch eine Reihe von Überlegungen zu beachten. Die Fähigkeit zur kritischen Reflexion hängt sicherlich in nicht unbeträchtlicher Weise ab vom Ausdrucksvermögen und sprachlichen Geschick. Ausdrucksvermögen und sprachliches Geschick müssen ihrerseits wiederum in Abhängigkeit von den durchlaufenden Lernmilieus gesehen werden. Unterschiedliche Lernmilieus können diese Fertigkeiten in sehr unterschiedlicher Weise fördern oder vernachlässigen, was Untersuchungen über schichtenspezifisches Sprachverhalten belegen. Hierauf war im dritten Kapitel eingegangen worden.

Aber auch dort, wo Ausdrucksvermögen und sprachliches Geschick überdurchschnittlich ausgebildet sind, darf der Umstand, daß es gewöhnlich immer nur einzelne sind, die sprechen, nicht zu dem Fehlschluß verleiten, daß Wortwahl und Syntax einer Sprache als völlig „private", das heißt gänzlich originelle, weil nur ihrem Schöpfer zugängliche, Zeichen- und Regelkonstruktionen denkbar seien. Zumindest hat Ludwig Wittgenstein in seinen „Philosophischen Untersuchungen" die Möglichkeit einer solchen „Privatsprache" bestritten. [1]

---

1 Das Problem stellt sich für Wittgenstein wie folgt: „Ein Mensch kann sich selbst ermutigen, sich selbst befehlen, gehorchen, tadeln, bestrafen, eine Frage vorlegen und auf sie antworten. Man könnte sich also auch Menschen denken, die nur monologisch sprächen. Ihre Tätigkeiten mit Selbstgesprächen begleiten. — Einem Forscher, der sie beobachtet und ihre Rede belauscht, könnte es gelingen, ihre Sprache in die unsere übersetzen. (Er wäre dadurch in den Stand

Sprache würde ihren Zweck als Medium intersubjektiver Verständigung nicht erfüllen können, wenn nicht die Redepraxis einzelner syntaktischen und semantischen Regeln folgen würde, die mit denen seiner sprachlichen Umgebung, mit der Redepraxis seiner Interaktionspartner, übereinstimmen. Erst diese Übereinstimmung ermöglicht ja eine (gemeinsame) Rekonstruktion des jeweils Gemeinten, wenn vielleicht auch zunächst Unverständlichen. Sprache ist für den einzelnen immer schon eine bestimmte vorgefundene und eingeübte Sprache. Das betrifft nicht nur die Regeln der Laut- und Satzkomposition, sondern zu einem bestimmten, empirisch wahrscheinlich im einzelnen oft nur schwer von tatsächlich originellen sprachlichen Leistungen diskriminierbaren, Teil die Sprachinhalte. Sollen persönliche Empfindungen oder Erlebnisse mitgeteilt werden, so wird dies oft gerade in dem Maße gelingen, in dem der Betreffende sich an vorfabrizierten und stark verbreiteten Ausdrucksweisen orientiert. In seinem „Eindimensionalen Menschen" bemerkt Marcuse nicht ohne einen Schuß Kulturkritik: „Wenn wir unsere Vorlieben und Abneigungen, unsere Sentiments und Ressentiments mitteilen, müssen wir die Ausdrücke unserer Reklamesprüche, Kinos, Politiker und Bestseller benutzen. Wir müssen dieselben Ausdrücke zum Beschreiben unserer Automobile, Nahrungsmittel und Möbel, Kollegen und Konkurrenten benutzen — und wir verstehen einander bestens." [2] Der einzelne spricht die Sprache seiner Zeitgenossen, für ihn relevanter Personen oder Gruppen. Begründete Kritik muß dies jedoch eigentlich erst dort hervorrufen, wo sich exogene oder endogene Zwänge nachweisen lassen, die ein kritisch-distanziertes Abweichen von diesen Sprachmustern bestrafen oder verhindern.

---

gesetzt, Handlungen dieser Leute richtig vorherzusagen, denn er hört sie auch Vorsätze und Entschlüsse fassen.)

Wäre aber auch eine Sprache denkbar, in der einer seine inneren Erlebnisse — seine Gefühle, Stimmungen, etc. — für den eigenen Gebrauch aufschreiben oder aussprechen könnte? — Können wir denn das in unserer gewöhnlichen Sprache nicht tun? — Aber so meine ichs nicht. Die Wörter dieser Sprache sollen sich auf das beziehen, wovon nur der Sprechende wissen kann; auf seine unmittelbaren, privaten Empfindungen. Ein anderer kann diese Sprache also nicht verstehen." (Wittgenstein, Philosophische..., S. 114). Für Wittgensteins Argumente gegen die Möglichkeit einer solchen privaten Privatsprache vgl. Malcolm, N., Wittgensteins ‚Philosophiee Untersuchungen', in: Über Ludwig Wittgenstein, Frankfurt/M. 1968, S. 7—18.

2 Marcuse, H., Der Eindimensionale Mensch, Neuwied und Berlin 1967, S. 208.

Gruppen oder Organisationen können die Normierung bestimmter Sprachinhalte, die Art also, wie etwas gesagt oder beurteilt werden muß, mit einer solchen Verbindlichkeit ausstatten, daß Abweichungen davon schwere Sanktionen zur Folge haben können. Und je mehr Handlungs- und Erfahrungsbereiche in Abhängigkeit von offiziellen „Sprachregelungen" geraten, um so mehr muß eine solche „offizielle" Sprache zu formelhafter Starre gerinnen, bei der dann der Zwang zur gleichfalls formelhaften Reproduktion mit der beständigen Bestätigung des Vorhandenen zusammenfällt. Orwell hat die zugegeben utopischen Bedingungen und Folgen einer totalen Sprachkontrolle am Beispiel seiner „Newspeak" darzustellen versucht. [3]

Neben diesen exogenen sozialen Zwängen kann es jedoch auch endogene Zwänge geben, die es dem einzelnen so gut wie unmöglich machen, aus dem vorgefundenen „Sprachgehäuse" auszubrechen. Dies wäre dann der Fall, wenn Personen im Verlauf ihrer linguistischen Sozialisation gar nicht in die Lage versetzt werden, neben einem bloß bestätigend-ritualisierten auch einen analytisch-kritischen Gebrauch ihrer Sprache zu erlernen. [4] Dies wäre eine notwendige Bedingung für den Abbau vorfabrizierter aber nicht zu rechtfertigender gruppen- oder organisationstypischer sprachlicher Normierungen und damit zugleich auch eine notwendige Bedingung für den Abbau von Sprachbarrieren.

---

3 Vgl. das Gespräch zwischen Syme und Wintson in: Orwell, G., Neunzehnhundertvierundachtzig, Zürich 1950, S. 50: „,Siehst du denn nicht, daß die Neusprache kein anderes Ziel hat, als die Reichweite des Gedankens zu verkürzen? Zum Schluß werden wir Gedankenverbrechen buchstäblich unmöglich gemacht haben, da es keine Worte mehr gibt, in denen man sie ausdrücken könnte. Jeder Begriff, der jemals benötigt werden könnte, wird in einem einzigen Wort ausdrückbar sein, wobei seine Bedeutung streng festgelegt ist und alle seine Nebenbedeutungen ausgetilgt und vergessen sind. Schon heute, in der 11. Auflage, sind wir nicht mehr weit von diesem Punkt entfernt. Aber der Prozeß wird immer weitergehen, lange nachdem wir beide tot sind. Mit jedem Jahr wird es weniger und immer weniger Worte geben, wird die Reichweite des Bewußtseins immer kleiner und kleiner werden ... Die Revolution ist vollzogen, wenn die Sprache geschaffen ist. Neusprache ist Engsoz, und Engsoz ist Neusprache', fügte er mit einer geheimnisvollen Befriedigung hinzu. ,Hast du schon einmal bedacht, Winston, daß um das Jahr 2050 kein Mensch mehr am Leben sein wird, der ein solches Gespräch, wie wir es eben führen, überhaupt verstehen könnte?'"

4 Vgl. hierzu Bernsteins Sprachmodell des „restricted code", in: Bernstein, B., Elaborated and Restricted Codes, in: Smith, G., Communication and Culture, New York 1966, S. 431—446.

Blickt man auf einige Ergebnisse der modernen Rollenanalyse, so könnte jetzt vermutet werden, daß bei einzelnen zu beobachtende Fixierungen auf bestimmte Bedeutungsträger, auf bestimmte Wortinterpretationen und auf bestimmte Urteile in engem Zusammenhang mit Problemen der Identifikation mit bestimmten für diese Personen dominanten Rollen untersucht werden müßten. Es könnte dann vielleicht gezeigt werden, daß die Fähigkeit von Dialogpartnern zu kritisch-reflexiver Distanz gegenüber vorgefundenen Sprachregelungen und ihre Bereitschaft, diese aufzulösen oder gegebenenfalls gemeinsam sprachkritisch zu rekonstruieren, insbesondere von zwei Randbedingungen abhängt: von der subjektiven *Fähigkeit der Dialogpartner zur Rollendistanz*[5], davon also, ob und in welchem Maße sie im Verlauf ihrer Persönlichkeitsbildung die Fähigkeit zum distanzierten Rollenspiel erlernt haben (1. Hypothese); zum zweiten von der lebensgeschichtlich und situationsabhängigen *Chance zum Rollentausch,* davon also, ob und in welchem Maße in einer konkreten Kommunikationssituation den Dialogpartnern ein wechselseitiger Tausch ihrer Dialogrollen erlaubt und subjektiv möglich ist oder verhindert wird (2. Hypothese). Was die zuletzt genannte Chance zum Rollentausch betrifft, so sind damit natürlich nicht nur bestimmte Fähigkeiten rollentypischer Redepraxis, sondern auch der Zugang zu typischen mit dem betreffenden Rollenspiel verbundenen Erfahrungs- und Relevanzbereichen gemeint. Läßt sich die Plausibilität dieser beiden Vermutungen empirisch bekräftigen, so könnten folgende generelle und prognoserelevante Behauptungen aufgestellt werden:

a) Differierende Identifikationen von Dialogpartnern begrenzen ihre Möglichkeiten zur sprachlichen Verständigung.
b) Dialogrelevante asymmetrische Sozialbeziehungen verzerren Kommunikationsprozesse im Sinne taktisch-persuasiven Sprachverhaltens (zur Verständigung kommt es in der Regel nur zugunsten der stärkeren Dialogpartei).
c) Differenzen der Wortwahl, Wortinterpretation und auf der Ebene typisierter Urteile werden in dem Maße durch kommunikative Prozesse alleine auflösbar, in dem unterschiedliche Identifikationen nicht in Abhängigkeit von asymmetrischen, d. h. herrschaftsbedingten Kommunikationssituationen gebildet oder in Frage gestellt werden.

---

5 Der Terminus „Rollendistanz“ (role distance) stammt von E. Goffman. Vgl. Goffman, E., Role Distance, in: Encounters. Two Studies in the Sociology of Interaction, New York 1961, S. 85-152.

6.1 Nichtverstehen

In der Literatur geht man in der Regel davon aus, daß unter Kommunikation jeder Prozeß der Produktion, Transmission und Rezeption von Botschaften verstanden wird.[6] Sprachliche Kommunikation wäre dann ein Vorgang der Produktion (Auswahl), Transmission und Rezeption von Wörtern oder Wortreihen. Der erste und wohl unkomplizierteste Fall von Verständigungsschwierigkeiten liegt dann dort vor, wo bei Übertragungen von Worten vom Sender zum Empfänger einige oder auch alle Wörter nicht verstanden werden. Dafür kann es mehrere Gründe geben. Zum einen die bloß technischen: Bei einem Telefongespräch könnten beispielsweise störende Geräusche in der Leitung auftreten, die die übermittelten Lautsignale bis zur Unverständlichkeit verstümmeln. In einem Tanzlokal könnte der Lärm einer Band Gespräche übertönen usw. Es handelt sich hierbei also um Verständigungsschwierigkeiten, die nicht durch die Kommunikationspartner selbst entstehen, sondern durch „Störungen" im „Kanal".

Interessanter sind für den hier behandelten Zusammenhang jedoch diejenigen Verständigungsschwierigkeiten, die durch unterschiedliche Symbolkapazitäten bei Sender und Empfänger bedingt sind. Sie liegen immer dann vor, wenn Sender und Empfänger über unterschiedliche Zeichenrepertoires verfügen und deshalb der Sender für den Empfänger unbekannte Wörter verwendet. „Unbekannt" kann dabei zweierlei bedeuten. Es können die Bedeutungsträger schon deshalb nicht verstanden werden, weil sie einer dem Empfänger unbekannten Sprache entstammen. Daneben ist es aber auch möglich, daß der Empfänger die vom Sender übermittelten Wörter zwar als seinem Zeichenrepertoire zugehörig entschlüsselt, die Verständigung aber dann trotzdem scheitert, weil der Empfänger nicht in der Lage ist, diesen Wörtern in ihrem spezifischen Kontext eine Bedeutung zuzurechnen.

Die sprachlichen Gründe für diese erste Sprachbarriere sind verhältnismäßig leicht anzugeben. Eine Botschaft kann teilweise oder ganz in Wörtern aus einer dem Empfänger unbekannten natürlichen Sprache verfaßt sein oder sie kann teilweise aus Wörtern einer vom Empfänger nicht beherrschten Fach- oder Sondersprache bestehen. Die nichtsprachlichen Gründe für diese

6 Vgl. als Beispiele Shannon/Weaver, Mathematical Theory ... S. 3, und Miller, G. A., Language and Communication, New York 1963, S. 6.

erste Sprachbarriere hängen damit zusammen, daß es verschiedene „Sprachgemeinschaften" gibt. Mit diesem Terminus bezeichnet der Linguist alle die Personen, die sich gruppentypischer Bedeutungsträger im Sinne unterschiedlicher „natürlicher Sprachen" bedienen. Eine weitere Ursache für das Auftreten dieser ersten Sprachbarriere muß darin gesehen werden, daß solche Sprachgemeinschaften oft selbst noch einmal in sich hochdifferenziert sind. Unterschiedliche soziokulturelle Milieus können unterschiedliche Subkulturen mit den ihnen eigentümlichen Dialekten und Sondersprachen (Jargon, Slang, Argot) hervorbringen, die für die übrigen Angehörigen einer Sprachgemeinschaft nur schwer verständlich oder unverständlich sind. Neben solchen subkulturellen Differenzen weisen gerade moderne industrielle Großgesellschaften einen durch den fortgeschrittenen Grad an Arbeitsteilung bedingten hohen Grad an (Berufs-)Rollendifferenzierung auf. Die für (Berufs-)Rollenklassen typischen oder für ihr Rollenspiel wichtigen Zeichenrepertoires können unter dem Stichwort „Fachsprache" zusammengefaßt werden. Eine rapide Entwicklung von Wissenschaft und Technik und die damit zusammenhängende ständige Ergänzung und Vermehrung solcher technischer und wissenschaftlicher Fachsprachen legen die Vermutung nahe, daß Verständigungsschwierigkeiten, wie sie sich aus dieser ersten Sprachbarriere ergeben, im Zunehmen begriffen sind und bei der Planung verständigungsdienlicher Rede besondere Aufmerksamkeit verdienen.

Was die Überwindbarkeit dieser ersten Sprachbarriere betrifft, so ist dies insbesondere eine Frage der linguistischen Sozialisation. Eine Überwindung dieser Sprachbarriere ist demnach prinzipiell möglich. Unter den Bedingungen moderner Gesellschaften wird sie jedoch faktisch ebensowenig zu beseitigen sein wie die Unterscheidung in „Fachleute" und „Laien".

6.2 Mißverstehen

Eine zweite Sprachbarriere tritt dann auf, wenn im Verlauf sprachlicher Kommunikation verwendete Wörter zwar dem Empfänger bekannt sind und von ihm interpretiert werden, wenn Sender und Empfänger jedoch mit gleichen Bedeutungsträgern unterschiedliche Bedeutungen verknüpfen. Verständigung wird hier also nicht durch Differenzen der Symbolkapazität zweier Kommunikationspartner beeinträchtigt, sondern durch Differenzen im Bereich semantischer Regeln.

Zur Analyse der für die soziale Semantik relevanten Klassen von Bedeutungsvariationen kann jetzt auf die im 2. Kapitel entwickelten Unterscheidungen zurückgegriffen werden. Mögliche Bedeutungsvariationen sind zugleich mögliche Gründe für Mißverstehen (vgl. Diagramm IV).

Wie Mißverstehen zustande kommen kann, soll am Wort „Parteilichkeit" exemplarisch gezeigt werden, das in einem angenommenen Gespräch verwendet wird. Dieses Wort wird von einem der Gesprächspartner benutzt. Der Betreffende ist Mitglied einer kommunistischen Partei. „Parteilichkeit" hat bei ihm folgende *intendierte Bedeutung:*

deskriptiv/öffentlich (1):	Für die von der Partei interpretierten (berechtigten) Ziele der Arbeiterklasse eintreten.
emotiv/öffentlich (+):	Parteilichkeit ist positiv zu bewerten, da die Arbeiterklasse die Emanzipation der Gattung vorantreibt.

Der betreffende Gesprächspartner (Sender) hat Teile seiner beruflichen Karriere der Parteimitgliedschaft zu verdanken. Zu der von ihm aus der offiziellen Parteisprache übernommenen Interpretation des Wortes „Parteilichkeit" tritt aus diesem Grunde eine auch „privat", d. h. hier: biographisch bedingte intensiv-positive Besetzung dieses Wortes.

Der Empfänger nun — so sei hier einmal angenommen — ist ein positivistischer Technokrat. Seine *Interpretation* des Wortes „Parteilichkeit" könnte dann etwa wie folgt aussehen:

deskriptiv/öffentlich (2):	Für etwas Partei nehmen, ohne seine Richtigkeit selbst noch einmal zu überprüfen.
despriptiv/privat (1):	Politische Entscheidungen enthalten praktische Urteile, und die sind ohnehin Geschmacksache, d. h. (wissenschaftlich) unentscheidbar.
emotiv/privat (—):	Parteilichkeit verweist auf einen Bereich technisch unlösbarer Probleme, und die sind (mir) unangenehm.

Dieses Beispiel braucht nicht weiter ausgeführt zu werden, um klar zu machen, daß der jeweilige gesellschaftliche und biographische Hintergrund

Diagramm IV

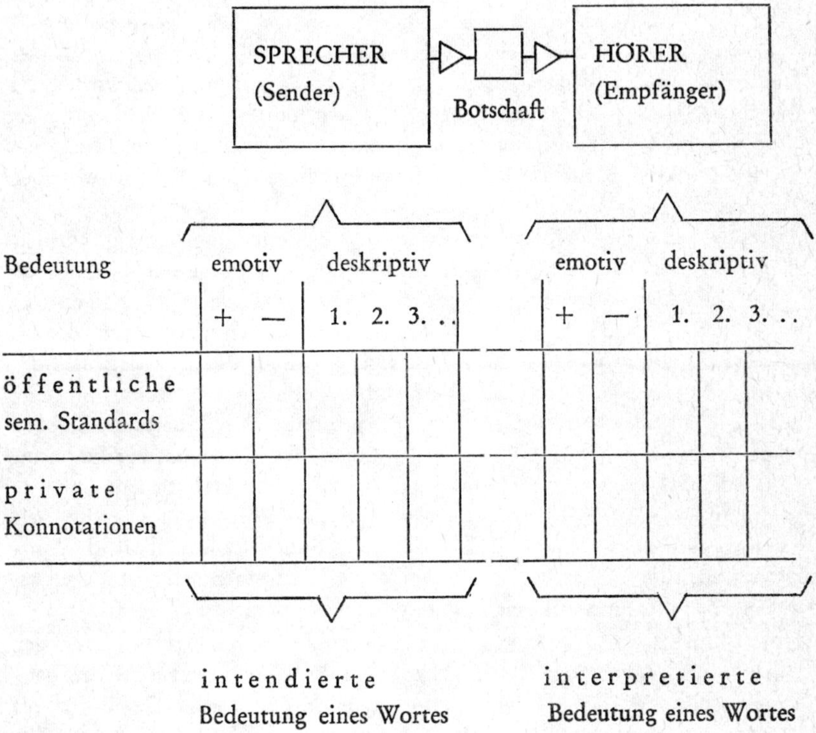
SPRECHER
(Sender)
Botschaft
HÖRER
(Empfänger)
Bedeutung
emotiv
deskriptiv
+ —
1. 2. 3. . .
emotiv
deskriptiv
+ —
1. 2. 3. . .
öffentliche
sem. Standards
private
Konnotationen
intendierte
Bedeutung eines Wortes
interpretierte
Bedeutung eines Wortes

es den konstruierten Gesprächspartnern wahrscheinlich unmöglich machen wird, sich über die Bedeutung des betreffenden Wortes und dann weiter über die Richtigkeit von Sätzen, in denen dieses Wort verwendet wird, zu einigen.

Nimmt man dies als Beispiel einer mißlungenen Verständigung, so kann — auf der Wortebene — von einer gelungenen Verständigung immer dann gesprochen werden, wenn Gesprächspartner sich im Verlauf ihres Dialoges über Interpretationsregeln wichtiger, für ihren Dialog benötigter Wörter einigen und dies terminologische Übereinkommen ihrer weiteren Unterhaltung als verbindliche Regel zugrunde legen. Solchen terminologischen Übereinkommen steht gewöhnlich zweierlei entgegen. Zum einen wird schon die Verwendung bestimmter Bedeutungsträger unterschiedliche Reaktionen hervorrufen. Loyalitäten gegenüber bestimmten Gruppen oder Organisationen oder deren für Dialogpartner verbindliche Sprachregelungen, aber auch individuelle Vorlieben oder Abneigungen können beim einzelnen in Richtung auf einen Wortverwendungs- oder Vermeidungszwang wirken, den sein Gegenüber nicht akzeptiert. Dies kann zur Folge haben, daß eine kumulative Gesprächsentwicklung schon in der Phase der notwendigen terminologischen Klärung durch einen Streit um Worte blockiert wird. Ein solcher Streit um Worte braucht jedoch nicht allein durch unterschiedliche soziale Zwänge oder unterschiedliche individuelle emotive Bewertung einzelner Worte hervorgerufen zu werden. Auch unterschiedliche taktische oder wissenschaftlich-analytische Absichten können hierfür verantwortlich sein. Über taktisch motivierte Zuordnung von Zeichen und Bedeutung war schon im Abschnitt über taktisch-persuasiven Wortgebrauch gesprochen worden. Daß auch im Bereich der wissenschaftlichen Rede willkürliche Umdefinitionen die sprachlichen Kommunikationsintentionen Mißverständnissen aussetzen, soll nun an einem Beispiel gezeigt werden.

Das Wort „Demokratie" gehört zu den häufig verwendeten Worten der neueren Politikforschung. Dies sicherlich nicht zuletzt wegen seiner zentralen Rolle für das politische Selbstverständnis moderner Gesellschaften, wegen seiner zentralen Rolle für die praktisch-politische Verständigung der Menschen untereinander. Zu den wissenschaftlich folgenreichsten Versuchen, diesem wichtigen Wort eine — der Intention nach — empirisch kontrollierbare deskriptive Bedeutung zu geben, gehört Joseph Schumpeters Definition, die er in seiner Arbeit über „Kapitalismus, Sozialismus und Demokratie" vorgelegt hat. Dort heißt es: „Die Demokratie ist eine politische *Methode*, das heißt: eine gewisse Art institutioneller Ordnung, um zu politischen —

legislativen und administrativen — Entscheidungen zu gelangen, und daher unfähig, selbst ein Ziel zu sein, unabhängig davon, welche Entscheidungen sie unter gegebenen historischen Verhältnissen hervorbringt." [7] Prinzipiell auf der gleichen Ebene bewegt sich eine Definition des Wortes Demokratie, bei der ausgesuchte Daten als Merkmale ganzer Gesellschaften unter einem systemtheoretischen Gesichtspunkt möglichen Gleichgewichts interpretiert und terminologisch integriert werden. Ein typischer Vertreter dieser Auffassung ist S. M. Lipset. Im „Methodologischen Anhang" zu seiner Aufsatzsammlung „Soziologie der Demokratie" (Political Man) heißt es: „Die hier wiedergegebenen statistischen Angaben über Demokratie und die Beziehungen zwischen Demokratie, wirtschaftlicher Entwicklung und politischer Legitimität lassen erkennen, daß es solche Angaben gibt, ... (die) theoretisch formuliert, mit ähnlichen Aspekten anderer Systeme verglichen und aus empirischen Daten abgeleitet werden können, die der Nachprüfung (oder Anzweiflung) durch andere Forscher zugänglich sind." [8]

Solche Versuche, „Demokratie" durch meßbare Größen zu definieren, hat Jürgen Habermas mit dem Hinweis auf die traditionell im Wort „Demokratie" mitgedachten normativen Komponenten kritisiert: „Demokratie arbeitet an der Selbstbestimmung des Menschen, und erst wenn diese wirklich ist, ist jene wahr." [9] „Demokratie verwirklicht sich erst in einer Gesellschaft mündiger Menschen; darum ist sie nicht unter beliebigen gesellschaftlichen Voraussetzungen möglich ... Das übersieht, wer den demokratischen Prozeß ganz auf seine tatsächlichen Gehalte zurückführt und als normativen Anspruch allenfalls den eines funktionierenden Gleichgewichts durchgehen läßt." [10]

Um an dieser Stelle auf diese Kontroverse eingehen zu können, muß auf einige Überlegungen aus dem 2. Kapitel zurückgegriffen werden. Es war dort zwischen sprachlichen Kommunikationsintentionen und nichtverbalisierten Kommunikationsinteressen unterschieden worden. Aus dieser Unterscheidung ergeben sich für Definitionen zwei grundsätzliche Möglichkeiten. Definitionen können einmal zur Klärung und Erleichterung der sprachlichen Kommunikationsintentionen beitragen. Dies ist dann der Fall, wenn die

---

7 Schumpeter, J. A., Kapitalismus, Sozialismus und Demokratie, Bern 1950, S. 384.
8 Lipset, S. M., Soziologie der Demokratie, Neuwied und Berlin 1962, S. 16.
9 Habermas, J. et al., Student und Politik, Neuwied und Berlin 1961, S. 15.
10 ebd. S. 16.

Dialogpartner das, was sie sprachlich mitzuteilen beabsichtigen, mit verständigungsdienlichen Worterläuterungen versehen oder sich hierbei einer schon vorweg von den Dialogpartnern interpersonell normierten Terminologie bedienen. Bei dieser ersten Möglichkeit sind die Absichten, die von Dialogpartnern mit Definitionen verknüpft sind, unabhängig von ihren übrigen nichtverbalisierten Interessen ausschließlich dem gemeinsamen Interesse an interpersoneller Verständigung und reibungsloser Kommunikation untergeordnet.

Definitionen können aber auch dazu dienen — und das ist die zweite hier vorgeschlagene Möglichkeit ihrer Funktion — die auch unausgesprochenen Interessen einzelner oder Gruppen zu fördern. Dies ist dann der Fall, wenn Dialogpartner das, was sie sprachlich mitteilen, primär in den Dienst ihrer individuellen oder gruppentypischen Interessen stellen. Definitionen haben dann den Zweck, die auch nichtsprachlichen Verhaltensweisen der Dialogpartner zu beeinflussen. Wichtigstes Beispiel hierfür sind die im 2. Kapitel erläuterten persuasiven Definitionen.

Es kann nun wenig sinnvoll sein, alle Definitionen, die nicht nur oder nicht primär der leichteren Verständigung auf der Ebene sprachlicher Kommunikationsintentionen sondern auch dem (begründeten) Interesse an der Beeinflussung des Verhaltens anderer dienen, der Klasse der persuasiven Definitionen zuzuschlagen. Anders ausgedrückt: es muß möglich sein, wichtige Wörter wie beispielsweise „Demokratie“ aber auch „Mündigkeit“, „Vernunft“, „Freiheit“, „Selbstbestimmung“ usw. in einer nichtsuggestiven Weise zu definieren. Man muß sich dabei jedoch vor Augen halten, daß Wörter, die dem Bereich der lebenspraktischen oder praktisch-politischen Orientierung entstammen und auch hier weiter in Verwendung sind, in ihrem Gebrauch nicht dadurch geklärt werden können, daß man sie in einer Weise definiert, die dem Bereich der technischen Verfügung entstammt. Insofern muß der Habermas'schen Kritik eines schrankenlosen Operationalismus beigepflichtet werden. Und insofern scheint es mir auch berechtigt, eine definitorische Verpflanzung von Wörtern aus dem Bereich praktischer Verständigung in den technisch-empirischer Verfügung „willkürlich“ zu nennen (vgl. oben S. 48 ff.).

Verständigungsschwierigkeiten, die sich durch semantische Differenzen ergeben können, hat man im Bereich der Technik durch Sprachregelungen in der Form von terminologischen Standardisierungen entgegengewirkt. Hier kam es sogar zur Gründung nationaler und internationaler Organisationen, die über Konkordanz und Eindeutigkeit der Nomenklaturen zu wachen haben, um dadurch eine erfolgreiche Kommunikation als Voraussetzung für erfolgreiche Koordination zu garantieren. [11]

Diese zweite Sprachbarriere taucht da überhaupt nicht auf, wo, wie in den Kunstsprachen — etwa der Mathematik oder anderer formaler Sprachen — ohnehin ein umkehrbar-eindeutige Zuordnung von Zeichen und Bedeutung konstitutiv ist. Eine Gegenüberstellung dieser in der Regel unproblematischen Kommunikationssituation in den analytischen Wissenschaften — sieht man von den praktischen Problemen ihrer Grundlegung ab [12] — mit den tatsächlich oft auswegslos und endlos erscheinenden terminologischen Konfusionen im Bereich der Sozialwissenschaften und in der praktischen Politik, haben dann auch immer wieder dazu geführt, daß definitorische Verfahren der formalen Wissenschaften als Paradigma exakter Verständigung auch den Sozialwissenschaftlern und Politikern zur Nachahmung empfohlen werden. Dies geschieht beispielsweise bei Borsodi, wenn er meint, Mißverständnisse seien auch hier durch "rigorous adherence to the principle of one word, one meaning; one meaning one word" [13] zu beseitigen. Übersehen wird hier jedoch, daß die explizite Vereinbarung einheitlicher Regeln der Wortinterpretation immer nur eine zwar sehr wichtige Voraussetzung aber keineswegs ein allein schon Verständigung garantierender Vorgang sein kann, da Mißverständnisse auch nichtsprachliche Ursachen haben.

Wie zu Beginn des Kapitels über Bedeutung im Anschluß an de Saussure entwickelt wurde, hat die Zuordnung von Bedeutungsträger (signifiant) und möglicher Bedeutung (signifié) einen prinzipiell konventionellen Charakter. Das bedeutet aber, daß — wie offenbar schon de Saussure vermutete — *Regeln der Prädizierung* und *der Interpretation* von Worten zur Klasse der (erlernten) *sozialen Regeln* gerechnet werden müssen, die verbindlich gemacht, die eingehalten und die durchbrochen werden können. Welche dieser semantischen Regeln der einzelne einhält und ob er sie einhält, ist damit eine Frage der von ihm durchlaufenen Lernmilieus, seiner vergangenen und gegenwärtigen Gruppenzugehörigkeiten oder Gruppenloyalitäten und abhängig davon eine Frage ihrer exogen sozialen und/oder

---

11 Vgl. Ischreyt, H., Studien zum Verhältnis von Sprache und Technik. Institutionelle Sprachlenkung in der Terminologie der Technik, Düsseldorf 1965.

12 Vgl. hierzu Kambartel, Erfahrung ..., S. 222 ff.

13 Borsodi, R., The Definition of the Definition, Boston 1967, S. 72.

biographisch bedingten persönlichen Verbindlichkeit.[14] Daraus folgt, daß semantische Differenzen dann überpersonelle und das heißt jetzt „strukturelle“ Wurzeln haben, wenn sie im Zusammenhang mit gruppen- oder organisationstypischen sprachlichen Kommunikationsintentionen stehen, die wiederum ihrerseits von den — gegebenenfalls unausgesprochenen — Interessen einer Gruppe oder Organisation abhängen. Abschließend kann die Hypothese gewagt werden, daß semantische Differenzen in dem Maße für Beteiligte unvermeidbar werden, in dem deren Interessen, die auf die Redepraxis wirken, voneinander abweichen und — als Grenzfall — einander widersprechen. Erst eine Umorientierung konkurrierender Interessen im Sinne ihrer Koordinierung wird eine Überwindung derartig strukturell verwurzelter Sprachbarrieren möglich machen.

Drohen also in Dialogen unterschiedliche Terminologien die Kommunikation zu erschweren oder zu blockieren, dann wird man für eine Beseitigung solcher semantischer Probleme zunächst darauf zu achten haben, ob diese Differenzen durch (zufällige) Unterschiede in der linguistischen Sozialisation bedingt

---

14 Vgl. hierzu Lorenzen, P., Logik und Grammatik, in: ders., Methodisches Denken ..., S. 74: „Alle terminologischen Bestimmungen sind — logisch gesehen — immer nur Vorschläge für den Gebrauch von Prädikatoren. Die implizit in der Muttersprache enthaltenen terminologischen Bestimmungen sind traditionelle Vorschläge. Sie sind für eine erste Verständigung zwar verbindlich, aber im esoterischen Gespräch kann man sich von ihnen lösen und sie eventuell durch andere ersetzen.“ Diesem sprachlogischen kann nun ein sprachsoziologisches Argument hinzugefügt werden: Alle terminologischen Bestimmungen sind — soziologisch gesehen — immer nur personentypische ($\rightleftharpoons$private) oder gruppentypische ($\rightleftharpoons$öffentliche) Regeln der Wortinterpretation, d. h. für einzelne oder ganze Gruppen verbindliche Sprachregeln auf der Wortebene, wobei der Grad der Verbindlichkeit dieser Regeln von emotiven Fixierungen und von ihrer Nützlichkeit bei der Verfolgung bestimmter sprachlicher Kommunikationsintentionen oder unausgesprochener Interessen und deren Wichtigkeit für diese einzelnen oder Gruppen abhängen dürfte. Vgl. Hierzu auch Naess, Communication and Argument ..., S. 63: ”In inconsequential and superficial discussion we often make attempts at precisation that lead to the replacement of an ambiguous expression by a slightly less ambiguous one. This we often call ‚defining'. However, it isn't enough just to cast around in our minds for an expression, even if it may turn out to be more precise in some ways. What is needed is the ability to recognize the source of the misunderstanding that occasions the attempt. One should be able to recognize the interpretations that constitute the misunderstanding, and this involves an ability to discriminate between the uses of language of different groups.“

sind. Trifft dies zu, dann wäre ein Streit um Worte in der Tat durch explizite Normierung dialogrelevanter Termini schnell beseitigt. Gewichtiger werden terminologische Differenzen nur dann, wenn sich dahinter Differenzen im Bereich privater Interessen oder Emotionen („Einstellung") oder im Bereich gruppen- bzw. organisationstypischer Ziele („Programme") verbergen. Im zweiten Falle müßten einer terminologischen Einigung eine Einstellungs- bzw. Programmänderung bei mindestens einer — in der Regel der schwächeren — Dialogpartei vorausgehen. Dieser zuletzt genannte Umstand kann wiederum dahingehend wirken, daß bestimmte terminologische Änderungen genau deshalb unterbleiben, weil sie als Eingeständnis der Schwäche interpretiert werden können.

6.3 Urteilsdifferenzen und Dialogtypologie

Die letzte ist die wahrscheinlich häufigste der drei hier behandelten Sprachbarrieren. Schon allein deshalb, weil Wortwahl und Wortinpretationen oft in Abhängigkeit von bestimmten akzeptierten Urteilsweisen erfolgen und aus diesem Grunde das Auftreten der ersten und zweiten hier behandelten Sprachbarriere oft als Ausdruck für, und Hinweis auf dahinterliegende Urteilsdifferenzen zwischen Kommunikationspartnern verstanden werden muß. Eine Klassifizierung möglicher Urteilsdifferenzen geschieht im Anschluß an schon oben im 3. Kapitel erarbeitete Unterscheidungen. Dort waren drei Arten von Urteilen behandelt worden. Ihre Unterscheidung erfolgte nicht nach wissenschaftstheoretischen oder formallogischen Kriterien, sondern danach, welche unterschiedlichen Verhältnisse sich auf pragmatischer Ebene gegenüber Urteilen ergeben können. Es war eine der Grundannahmen dieser Untersuchung, daß verschiedene Personen ein sehr unterschiedliches Urteilsrepertoire aufweisen können, daß weiter verschiedene Personen auch in ganz ähnlichen Problembereichen sich in sehr unterschiedlicher Art gegenüber Urteilen, die einen solchen gemeinsam zugänglichen Problembereich betreffen, verhalten können. Genau dies aber beeinflußt ihre kommunikativen Fähigkeiten, die nämlich durch emotive Fixierungen blockierbar und durch Interessen verzerrbar sind.

Ein *distanziert-kritisches* Verhältnis zu bestimmten Urteilen liegt immer dann vor, wenn der einzelne Einsicht in die prinzipielle Vorläufigkeit, d. h. vorläufige Gültigkeit dieser Urteile (Hypothesen) hat, wenn er also bereit ist, durch Verarbeitung neuer Informationen, sprich: guter Gründe, Urteile, an denen er sich bisher orientierte, zu revidieren, d. h. sie entweder aus seinem orientierungsrelevanten Urteilsrepertoire zu entfernen oder sie zu verändern.

Neben dem distanziert-kritischen gibt es auch ein *distanziert-taktisches* Verhältnis gegenüber bestimmten Urteilen. Es besteht dann, wenn der einzelne seine Redepraxis möglichst vollständig danach plant, inwiefern die Verwendung welcher gut oder schlecht begründeter Urteile und verständigungsdienlicher oder verschleiernder Worte in welchen Situationen eine optimale Verfolgung seiner wohldefinierten Interessen garantiert.

In beiden Fällen — dem distanziert-kritischen wie auch dem distanziert-taktischen Verhältnis gegenüber bestimmten Urteilen — liegt eine rationale, d. h. bewußt durchgeführte Kontrolle und Planung des eigenen Urteilsrepertoires vor. Unterscheiden lassen sie sich dadurch, daß das distanziert-taktische Verhältnis sinnvoll nur auf die beobachtbare Redepraxis (Performanz) bezogen werden kann, während das distanziert-kritische Verhältnis gegenüber Urteilen die sprachlich gebundenen kognitiven Möglichkeiten (Kompetenz) einzelner ganz allgemein betrifft. [15]

Die dritte hier behandelte Urteilsklasse waren die emotiv fixierten (Vor-) Urteile. Damit sind alle die Urteile gemeint, zu deren rationaler Kontrolle der einzelne nicht willens oder nicht fähig ist, zu denen er auch aus taktisch-interessenbezogenen Gründen keine reflexive Distanz zu gewinnen vermag. In Fällen solcher Stereotypen, Vorurteile oder dogmatischen Verfestigungen liegt ein *prärational-undistanziertes* Verhältnis zu Urteilen vor, das den kommunikativen Fähigkeiten einzelner Grenzen setzt, die möglicherweise sinnvoll nur auf dem Wege therapeutischer Kommunikation überwunden werden können, denn emotiv besetzte Urteile sind besonders hartnäckige Bestandteile der empirischen Kompetenz (vgl. oben S. 58 ff.).

Das folgende Diagramm stellt die im Verlauf der Untersuchung erarbeiteten Möglichkeiten von Urteilsdifferenzen für eine idealtypisch-systematisierte Dialogsituation zusammen (Vgl. Diagramm V).

Ablauf und Ergebnis von Dialogen werden von den besonderen Umständen der *Kommunikationssituation* abhängen. Hierzu sind ganz sicherlich der

---

15 Zur Unterscheidung von Kompetenz und Performanz vgl. Chomsky, N., Aspekte der Syntax-Theorie, Frankfurt/M. 1969 und Oevermann, U., Schichtspezifische Formen . . ., insbes. S. 330—339.

Diagramm V

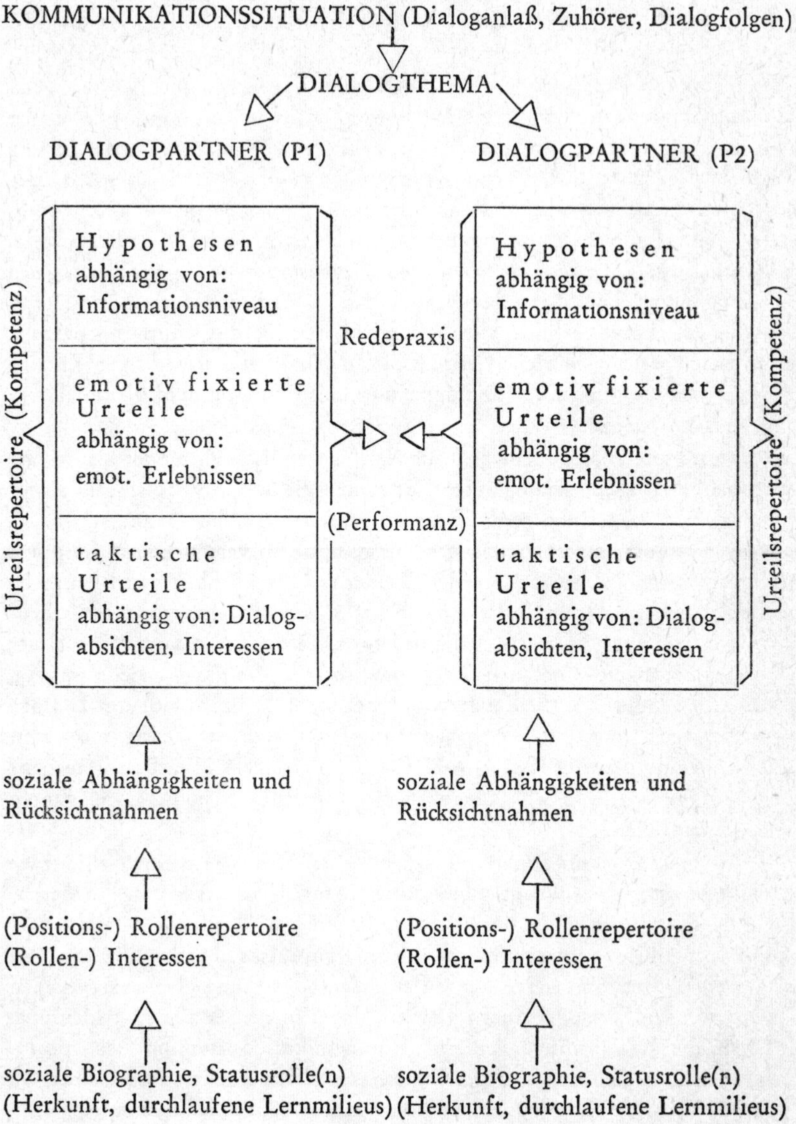
KOMMUNIKATIONSSITUATION (Dialoganlaß, Zuhörer, Dialogfolgen)
DIALOGTHEMA
DIALOGPARTNER (P1)
DIALOGPARTNER (P2)
Urteilsrepertoire (Kompetenz)
Hypothesen
abhängig von:
Informationsniveau
emotiv fixierte
Urteile
abhängig von:
emot. Erlebnissen
taktische
Urteile
abhängig von: Dialogabsichten, Interessen
Redepraxis
(Performanz)
Hypothesen
abhängig von:
Informationsniveau
emotiv fixierte
Urteile
abhängig von:
emot. Erlebnissen
taktische
Urteile
abhängig von: Dialogabsichten, Interessen
Urteilsrepertoire (Kompetenz)
soziale Abhängigkeiten und Rücksichtnahmen
soziale Abhängigkeiten und Rücksichtnahmen
(Positions-) Rollenrepertoire
(Rollen-) Interessen
(Positions-) Rollenrepertoire
(Rollen-) Interessen
soziale Biographie, Statusrolle(n)
(Herkunft, durchlaufene Lernmilieus)
soziale Biographie, Statusrolle(n)
(Herkunft, durchlaufene Lernmilieus)

Anlaß des Dialogs, das Dialogthema, die aktiven und eventuell nur passiven Teilnehmer zu zählen, auch die möglicherweise absehbaren praktischen Folgen möglicher durch sprachliche Interaktion im Dialog erarbeiteter Entscheidungen.

Wenn man Prognosen über mögliche Dialogabläufe machen möchte, so ist also zunächst einmal wichtig, sich über die situativen Randbedingungen solcher Dialoge zu informieren. Es ist zu fragen: Warum findet der Dialog statt? Welche individuellen oder gruppen- bzw. organisationsinternen oder -externen Ereignisse oder Erfordernisse oder Absichten gehen ihm voraus, haben ihn veranlaßt? Es ist weiter zu fragen nach dem Dialogthema, d. h. nach dem zur Verhandlung stehenden Gegenstands- oder Problembereich (Tagesordnung) und den Dialognormen, d. h. nach eventuell schon vorab für die Beteiligten verbindlichen Verfahrensregeln, die während Dialogen eingehalten werden müssen (Geschäftsordnung). In einem wichtigen Zusammenhang hiermit stehen die Dialogpartner, das Publikum und die möglichen Folgen von Dialogen.

Werden sich die Dialogpartner „kraft Amt" gegenüberstehen oder als Privatpersonen? Wird der Dialog öffentlich sein? Wie wird sich im Falle seiner Öffentlichkeit die Zuhörerschaft zusammensetzen? Oder: Handelt es sich um ein Gespräch „unter vier Augen" bzw. um ein „vertrauliches" Gespräch unter „insidern"? Insbesondere der Grad der Öffentlichkeit wird beispielsweise Prognosen darüber erlauben, ob sich die Gesprächspartner einer exoterischen oder esoterischen Sprache bedienen werden, d. h. auch mit welcher Art Informationen zu rechnen ist. Schließlich wird die Frage bedeutsam sein, ob Dialoge unter Entscheidungszwang stehen, d. h. ob es sich um Dialoge mit erwarteten praktischen Folgen für die Beteiligten, für Dritte, nicht zum Dialog herangezogene oder sowohl für Beteiligte wie Nichtbeteiligte handelt. Letzteres würde wahrscheinlich für die meisten politisch relevanten Dialoge zutreffen.

Die *Kommunikationspartner* verdienen neben den allgemeinen situativen Randbedingungen von Kommunikationsprozessen selbstverständlich besondere Beachtung, wenn es darum geht, Prognosen über eine mögliche Gesprächsdynamik zu erarbeiten, was auch Voraussagen über mögliche, zu erwartende Sprachbarrieren einschließt. Die Beachtung der individuellen Eigenarten von Dialogpartnern gewinnt dabei in dem Maße an Bedeutung, in dem die Randbedingungen der Kommunikationssituation den sprachlichen Aktionsspielraum der Beteiligten erweitern. Anders ausgedrückt: In dem Maße, in dem Dialogpartner von Sprachregelungen bestimmter Gruppen oder Organisationen unabhängig sind, bietet sich ihnen die Chance, den Ablauf von Dialogen und die dabei von ihnen verfolgten Kommunikationsintentionen nach eigenem Ermessen zu gestalten. Dies wiederum hängt ab von der Rolle, die sie zu spielen gezwungen sind. Herr X wird als Nachrichtensprecher der Rundfunkanstalt Y kaum Einfluß auf den vom ihm gesprochenen Text nehmen können — abgesehen von Nuancen der Betonung und Lautgestaltung. Ähnliches gilt für „Sprecher" sonstiger Organisationen oder Gruppen, solange sie nicht durch engen Kontakt zur Führung einer Organisation oder Gruppe an der Verfassung von „Verlautbarungen" oder „Stellungnahmen" selbst beteiligt sind. In diesen Fällen handelt es sich auch gar nicht um Dialoge im strengen Sinne des Wortes, d. h. um (zweiseitige) Gespräche, in denen Dialogpartner in Rede und Gegenrede es zu einer Gesprächsentwicklung kommen lassen können, sondern um einseitige Kommunikationsprozesse.

Extremen Fällen sprachlicher Normierung wie sie etwa in der Sprache eines Ritus, in der juristischen Sprache oder anderer verbindlicher Sprachregelungen von Gruppen oder Organisationen beobachtbar sind, stehen Beispiele minimaler Normierung gegenüber, etwa in der experimentellen Lyrik. Dazwischen liegt der Bereich mehr oder weniger umfangreicher sprachlicher Normierungen, wie sie in wissenschaftlichen, beruflichen Dialogen oder in Dialogen des alltäglichen Lebens wirksam sind. Übrigens muß bei der Rede von „sprachlichen Normierungen" unterschieden werden zwischen zwei Regelsystemen:

a) den formalen Regeln der Grammatik und Logik — hier wird normiert, *wie* etwas ausgedrückt werden muß, d. h. wie welche Arten von Zeichen verknüpft werden müssen, und

b) den inhaltlichen Regeln der Wortkomposition — hier wird normiert, *was* ausgedrückt werden muß, d. h. wie Worte interpretiert, wie sie verwendet, zu welchen Behauptungen sie verknüpft werden müssen.

Bezieht man beide Regelsysteme auf die situationstypische sprachliche Erwartungshorizonte bestimmter Gruppen oder Organisationen, dann kann mit dem Terminus *Positionsrollensprache* folgendes gemeint sein:

a) *Wie* Inhaber bestimmter Positionen zu sprechen gezwungen sind; (wenn sie nicht positionsgebundene sprachliche Regeln der Logik und Grammatik durchbrechen wollen).

b) *Was* von Inhabern bestimmter Positionen gesagt werden muß; (wenn sie nicht gegen positionsgebundene Regeln der Wortwahl-, der Wortinterpretation und Identifikation mit bestimmten Urteilen zu verstoßen beabsichtigen).

Von der jeweiligen Position wird es abhängen, welche der hier angegebenen Rollensprachenregeln mit besonderer Verbindlichkeit ausgestattet sind und welche nicht. Zu hoffen ist, daß die bisherigen Erörterungen zumindest dies hinlänglich klargemacht haben, daß eine Analyse der spezifischen sprachlichen Erwartungen notwendiger Bestandteil einer jeden Rollenanalyse sein sollte. Unter diesem Gesichtspunkt könnte auch das Problem der Ungleichheit als Problem ungleicher Chancen der Entfaltung und Ausübung distanziert-kritischer und distanziert-taktischer Sprachfertigkeiten neuformuliert werden. Dies zuletzt Gesagte würde den Bereich der endogenen, personentypischen (Sprach-)Möglichkeiten betreffen. Die definitorische Konstruktion der Positionsrollensprache betrifft demgegenüber den Bereich der exogenen — gruppentypischen oder organisationstypischen — Sprachregelungen. Von hier ausgehend könnte es möglich sein, eine sprachkritische Ergänzung des Instrumentariums der sogenannten Inhaltsanalyse (content analysis) [16] zu entwickeln (vgl. hierzu die Exkurse über einige sprachtaktisch-interessenbedingte Definitionen (S. 48 ff.), über einige positionsinteressenbedingte Urteile (S. 68 ff.). und über Herrschaft und Information (S. 132 ff.).

Im Verlauf dieser Untersuchung waren immer wieder drei Arten von Faktoren behandelt worden, die Dialoge und, allgemeiner, Kommunikationsprozesse in besonderer Weise beeinflussen, die gleichsam eine Abbildung sozialer Randbedingungen auf die Redepraxis bewirken. Es sind dies das Informationsniveau, emotive Besetzungen und die Interessen von Dialogpartnern, die auf der kommunikativen Ebene zur Bildung bestimmter Hypothesen, bestimmter Stereotypisierungen bzw. emotiver Fixierungen auf bestimmte Urteile und zur taktisch-interessenabhängigen Verwendung bestimmter Urteile führen, die ihrerseits wiederum die Interpretationen und die Wahl der Worte beeinflußen.

Wenn nun in einem Dialog Urteilsdifferenzen der beschriebenen Art zu erwarten sind, so wird vermutlich die Frage ihrer möglichen Beseitigung insbesondere davon abhängen, bei welcher Urteilsart sie zu erwarten sein werden und weiter davon, welche dialogexternen sozialen Abhängigkeiten

---

16 Vgl. hierzu de Sola Pool, I. ed., Trends in Content Analysis, Urbana 1959.

und Rücksichtnahmen von den Dialogpartnern beachtet werden müssen. Dies wiederum ist von zentraler Bedeutung für die *Dialogabsichten*, d. h. für die Maximen und Strategien, denen die Dialogpartner verpflichtet sein werden. Sprachliche Kommunikationsintentionen — dasjenige also, was eine Person sprachlich zum Ausdruck zu bringen beabsichtigt — und nichtverbalisierte Kommunikationsinteressen — die (unausgesprochenen) Ziele, die jemand im Dialog verfolgt — werden in dem Maße von dialogexternen Faktoren abhängen, in dem es sich zum einen um *entscheidungsrelevante Dialoge* handelt und in dem zum zweiten die zu erwartenden Entscheidungen nicht nur die Dialogpartner selbst, sondern ganze Gruppen oder Organisationen betreffen, als deren Repräsentanten sie fungieren. Ist dies letzte der Fall, treffen sich also Dialogpartner nicht zu einem „unverbindlichen" Gespräch zwischen „Privatleuten", sondern agieren sie als Vertreter von Gruppen oder Organisationen, dann werden insbesondere Urteilsdifferenzen aufgrund unterschiedlicher Interessenlagen zu beobachten sein. Dies gilt in besonderem Maße für eben schon erwähnte entscheidungsrelevante Dialoge, für Dialoge, die der Vorbereitung oder endgültigen Festlegung von Entscheidungen dienen, in denen eine Verteilung von Einfluß, Gewinn, Prestige oder sonstiger sozialer Güter zwischen Dialogpartnern bzw. zwischen den von ihnen vertretenen Gruppen oder Organisationen festgelegt wird. Sind solche Umstände gegeben, dann werden Dialogpartner zu einer hohen Identifikation mit den Zielen und Sprachregelungen ihrer Gruppen oder Organisationen gezwungen sein. Es wird hier deshalb auch nicht eine Überwindung im Sinne einer Beseitigung von interessenbedingten Sprachbarrieren (Urteilsdifferenzen) zu erwarten sein, sondern bestenfalls ihre Überbrückung auf dem Wege von Kompromissen.

Neben den entscheidungsrelevanten Dialogen stellen die *Gewinndialoge* einen zweiten wichtigen, weil häufig beobachtbaren Dialogtyp dar. Das Ziel von Gewinndialogen ist nicht — mindestens nicht primär — die Aushandlung einer durch Kompromisse ermöglichten Entscheidung, sondern der Sieg eines Dialogpartners über den anderen mittels besserer oder auch nur wirkungsvollerer Argumente. Als klassisches Beispiel hierfür könnte auf die (öffentliche) „Disputation" von zum Dialogthema erhobenen Thesen verwiesen werden, mit denen sich einer der Dialogpartner — der „Proponent" — identifiziert, zu deren Verteidigung er sich gegenüber den Angriffen des Dialogpartners — des „Opponenten" verpflichtet. In Gewinndialogen stellen die Dialogpartner ihre kommunikativen Fähigkeiten unter Beweis. Hier demonstrieren sie ihre Ausdrucksfertigkeiten, mobilisieren sie ihre Informationen und ihr taktisches Geschick, mit der Absicht, den Dialog zu gewinnen, aus ihm als Sieger hervorzugehen, ohne daß sich daraus immer schon unmittelbar praktisch-entscheidungsrelevante Konsequenzen ergeben, mit Ausnahme möglicher Vergütungen für den Sieger. In der Regel dienen Gewinndialoge der Erarbeitung von Informationen, sowohl über zum Dialogthema erhobene Probleme, als auch über das sprachlich-taktische Geschick und das Informationsniveau der zum verbalen Gefecht angetretenen Dialoggegner.

Das erklärte Ziel von Dialoggegnern, den Dialog zu gewinnen, kann dazu führen, daß die Ausnutzung bloß gesprächstaktischer, persuasiver und auch polemisch-demagogischer Fertigkeiten die Vermittlung problembezogener Information in den Hintergrund drängt. Um eine solche Gesprächsentwicklung zu vermeiden, werden deshalb oft bei „Diskussionsrunden" oder „Podiumsdiskussionen" den Disputanten Diskussionsleiter übergeordnet, die im Interesse der Zuhörer dafür zu sorgen haben, daß Disputationen oder Diskussionen ihren Problembezug nicht aus den Augen verlieren.

Als dritter Dialogtyp soll schließlich der *Reflexionsdialog* gekennzeichnet werden. Das Ziel von Reflexionsdialogen ist nicht, einen der Dialogpartner als Gewinner zu ermitteln. Sie dienen auch nicht unmittelbar der Vorbereitung oder Festlegung bestimmter Entscheidungen. In Reflexionsdialogen bemühen sich die Dialogpartner vielmehr um eine kumulative Gesprächsentwicklung, in deren Verlauf Informationen nicht nur additiv gesammelt, sondern Einsichten in die emotiven Fixierungen und bislang unreflektierten Orientierungen gewonnen und gegebenenfalls einer kritischen Überprüfung unterzogen werden sollen. Das Ergebnis von Reflexionsdialogen wäre also im Bereich der Bildung der Beteiligten und in der rationalen Rekonstruktion oder Revision ihrer Orientierungen zu suchen. Reflexionsdialoge können somit vorhandene Sprachbarrieren — sofern sie nicht institutionalisiert sondern individuell-biographisch bedingt sind — abbauen, indem durch sie Fixierungen auf bestimmte Urteile gelöst oder bislang unausgesprochene Orientierungen reflektiert werden. Die Fähigkeit zur Selbstreflexion ist demnach eine wichtige Randbedingung für diesen Dialogtyp, der dann möglicherweise auch als einseitiger Kommunikationsprozeß (zwischen Leser und Text) stattfinden kann. Ein Ergebnis solcher Reflexionsdialoge mit Humeschen Texten war es offenbar, das Kant zu dem Satz veranlaßte: „Ich gestehe frei: die Erinnerung des David Hume war eben dasjenige, was mir vor vielen Jahren zuerst den dogmatischen Schlummer unterbrach und meinen

Untersuchungen im Felde der spekulativen Philosophie eine ganz andere Richtung gab.“ [17]

Die drei eben erläuterten Dialogtypen werden in der beschriebenen Form kaum häufig zu beobachten sein. Sinnvoller scheint die Annahme, daß es sich hierbei um typische Eigenschaften von bestimmten Phasen beobachtbarer Dialoge handelt, wobei es von den situativen Randbedingungen, dem Dialogthema und den Rollen der Dialogpartner abhängen dürfte, welcher Dialogtyp bei Gesprächen vorherrscht. Nahe liegt daß etwa im Verlauf von Gesprächen über die Neufestlegung von Tarifen zwischen Vertretern der Gewerkschaften und Vertretern der Arbeitgeber typische Eigenschaften von entscheidungsrelevanten Dialogen und Gewinndialogen zu beobachten sind, während bei Diskussionen im Rahmen universitärer Seminare oder bei „privaten Gesprächen“ sich eher Eigenarten von Gewinndialogen und gelegentlich auch von Reflexionsdialogen häufen können. In reiner Form glaubt Jürgen Habermas Reflexionsdialoge in Freuds analytischer Technik wiedergefunden zu haben: „Der Analytiker leitet den Patienten an, damit er die eigenen, von ihm selbst verstümmelten und entstellten Texte lesen und Symbole von einer privatsprachlich deformierten Ausdrucksweise in die Ausdrucksweise der öffentlichen Kommunikation übersetzen lernt. Diese Übersetzung erschließt einer bis dahin blockierten Erinnerung die genetisch wichtigen Phasen der Lebensgeschichte und macht den eigenen Bildungsprozeß bewußt: insofern zielt die psychoanalytische nicht wie die geisteswissenschaftliche Hermeneutik auf das Verstehen symbolischer Zusammenhänge überhaupt, sondern *der Akt des Verstehens,* zu dem sie führt, *ist Selbstreflexion.*“ [18]

Den Zusammenhang zwischen esoterischer Selbstreflexion einzelner und praktischer Emanzipation aus der Abhängigkeit verinnerlichter und/oder fremdgesteuerter Handlungszwänge sehe ich jedoch keineswegs so direkt, wie dies Habermas zu unterstellen scheint. [19] Schließt man nämlich den Weg gewaltsamer politischer Veränderungen aus, dann genügt es erst recht nicht, im Interesse an Emanzipation Reflexionsdialoge zu führen. [20] Diese für sich

17 Kant, I., Prolegomena zu einer jeden künftigen Metaphysik, die als Wissenschaft wird auftreten können, Hamburg 1965, S. 7.

18 Habermas, Erkenntnis ..., S. 279 f.

19 Vgl. Habermas, ebd. S. 348ff.

20 Vgl. hierzu: B. Badura, Ein neuer Primat der Interpretation? Zum Problem der Emanzipation bei J. Habermas (noch unveröffentl. Manuskript).

genommen müssen nicht notwendig schon praktisch-politisch folgenreiches Handeln motivieren, wiewohl sie ganz sicherlich eine wichtige Voraussetzung für eine sich selbst durchsichtige Praxis sind. Wie die jüngere Geschichte deutlich gezeigt hat, gibt es hier schließlich auch den Weg massenhafter, individualisierender „innerer Emigration" gegenüber übermächtig empfundenen institutionalisierten Zwängen als Möglichkeit einer entpolitisierten, weil bloß in der privaten Lebenspraxis wirksamen Emanzipation. Hält man beides, den Weg gewaltsamer Veränderung und den folgenloser Reflexion (innerhalb spätkapitalistischer Gesellschaften vom Typus Bundesrepublik), für gleichermaßen unakzeptabel, dann bleibt nur noch die Möglichkeit, die Idee gesellschaftlicher, d. h. praktisch-politischer Emanzipation im Bereich entscheidungsrelevanter Dialoge zum Ausdruck zu bringen in der *Hoffnung auf einen allein durch Dialoge gesteuerten Emanzipationsprozeß*. Zur Analyse der in diesem Kommunikationszusammenhang auf die Redepraxis wirkenden *emotiven, taktischen* und *institutionalisierten Restriktionen* beizutragen, ist eine zentrale Absicht dieser Untersuchung.

Bibliographie

Abelson, R., Artikel: „Definition", in: Encyclopedia of Philosophy, New York und London 1967.

Agnoli, J., und Brückner, P., Die Transformation der Demokratie, Frankfurt/M. 1968.

Albert, H., Traktat über kritische Vernunft, Tübingen 1968.

Allport, G. W., The Nature of Prejudice, Cambridge/Mass. 1954.

Ammer, K., Sprache, Mensch und Gesellschaft, Halle 1961.

Apel, K. O., Szientifik, Hermeneutik, Ideologiekritik, in: Man and World, I/1, 1968, S. 37—63.

Badura, B., Ein neuer Primat der Interpretation? Zum Problem der Emanzipation bei J. Habermas (noch unveröffentl. Manuskript).

Baran, P. H. und Sweezy, P. M., Monpolkapital, Frankfurt/M. 1967.

Bejerholm, C., Hornig, G., Wort und Handlung. Untersuchungen zur analytischen Religionsphilosophie, Gütersloh 1966.

Bense, M., Semiotik, Baden-Baden 1967.

Berger, P. L. und Luckmann, Th., The Social Construction of Reality, New York 1967.

Bergius, R., Vorurteilsforschung in der Psychologie, in: Überwindung von Vorurteilen, ed. Fr. Eb. Stf., Hannover 1960.

Berlo, D. K., The Process of Communication, New York 1960.

Bernstein, B., Soziokulturelle Determinanten des Lernens, in: Kölner Zeitschrift für Soziologie und Sozialpsychologie, Sonderheft Soziologie der Schule 1960.

ders. Language and Social Class, in: British Journal of Sociology, 11/1960.

ders. Social Class and Linguistic Development: A Theory of Social Learning, in: Halsey, Floud, Anderson, Education, Economy and Society, Glencoe 1964, S. 288—314.

ders. Elaborated and Restricted Codes, in: Smith, A. G., (ed.) Communication and Culture, New York 1966.

Betz, W., Sprachlenkung und Sprachentwicklung, in: Sprache und Wissenschaft, Göttingen 1960.

Bierwisch, M., Strukturalismus. Geschichte, Probleme und Methoden, in: Kursbuch 5, 1966, S. 77—152.

Borsodi, R., The Definition of the Definition, Boston 1967.

Bright, W. (ed.), Sociolinguistics, Den Haag, 1966.

Brown ,R. W., Studies in Linguistic Relativity, in: Maccoby, E. E., Newcomb, Th. H., Hartley, E. L., (eds.), Readings in Social Psychology, NY 1958.

Brown, R., Words and Things, Glencoe 1958.

Bryson, L., Finkelstein, L., Hoagland, H., MacIver, R. M. (eds.), Symbols and Society, New York 1958.

Carnap, R., Introduction to Semantics, Cambridge 1942.

Chase, St., The Power of Words, New York 1954.

Casagrande, J. B., The Ends of Translation, in: Intern. Journal of American Linguistics, 20/4, 1954.

Cherry, C., Kommunikationsforschung — Eine neue Wissenschaft, Frankfurt 1967.

Chomsky, N., Aspekte der Syntax-Theorie, Frankfurt/M. 1969.

Church, J., Language and the Discovery of Reality, New York 1961.

Cohen, M., Pour une Sociologie du Language, Paris 1956.

Conolly, W. E., Political Science and Ideology, New York 1967.

Dahrendorf, R., Class and Class Conflict in Industrial Society, Stanford 1963.

ders. Ungewißheit, Wissenschaft und Demokratie, in: Argumentationen, eds. Delius, H. und Patzig, G. Göttingen 1964, Seite 43—66.

ders. Homo Sociologicus, in: ders., Pfade aus Utopia, München 1967

ders. Gesellschaft und Demokratie in Deutschland, München 1968.

Deutsch, K. W., Symbols of Political Community, in: Bryson et al. eds., Symbols of Society, New York 1958.

Dieckmann, W., Information oder Überredung, Marburg 1964.

Dreitzel, H. P., Die gesellschaftlichen Leiden und das Leiden an der Gesellschaft, Stuttgart 1968.

Erdmann, K. O., Die Bedeutung des Wortes, Leipzig 1922.

Fleming, D. R., The Cold War and Its Origins, 1917—1960, 2 Bde. New York und London 1961.

Gabriel, G., Artikel: „Definition", in: Historisches Wörterbuch der Philosophie, Ritter, J., et alts. (Hrsg.), Bd. I, Basel und Stuttgart 1970.

Gans, H. J., Urbanism and Suburbanism as Ways of Life: a Re-evalution of Definitions, in: Rose, A. M. (ed.), Human Behaviour and Social Processes, London 1962.

Geiger, Th., Vorstudien zu einer Soziologie des Rechts, Neuwied und Berlin 1964.

Geissner, H., Soziale Rollen als Sprechrollen, in: Allgemeine und Angewandte Phonetik, Hamburg 1960.

Gerhardt, U., Rollenhandeln und Sozialstruktur, Unveröff. Diss., Konstanz 1969.

Gerth, H. H. and Mills, C. W., Character and Social Structure, New York 1964.

Glenn, E. S., Semantic Difficulties in International Communication, in: Etc. 11, 1954.

Glinz, H., Sprachwissenschaftliche Voraussetzungen für die Arbeit des Didaktikers und Pädagogen, Sonderdruck der Ztschr. f. Pädagogik, Weinheim 1968.

Goffman, E., The Presentation of Self in Everyday Life, New York 1959

ders. Encounters, New York 1961.

Goldthorpe, J. H. et al., The Affluent Worker: Industrial Attitudes and Behaviour, Cambridge 1968.

Habermas, J., et al. Student und Politik, Neuwied und Berlin 1961.

ders. Strukturwandel der Öffentlichkeit, Neuwied und Berlin 1965.

ders. Zur Logik der Sozialwissenschaft, Tübingen 1967.

ders. Technik und Wissenschaft als Ideologie, Frankfurt/M. 1968.

ders. Erkenntnis und Interesse, Frankfurt/M. 1968.

Hayakawa, Semantik, Darmstadt 1967.

Häfele, H., Bürokratisierung des Parlaments? Zur Beziehung von Parlament, Parlaments- und Ministerialbürokratie, in: Der Bundestag von innen gesehen, ed. Hübner, E., et al., München 1969.

Hertzler, J. O., A Sociology of Language, New York 1965.

Hodges, H. A., Languages, Standpoints and Attitudes, London 1953.

Hörmann, H., Psychologie der Sprache, Berlin 1967.

Huxley, A., Words and their Meanings, in: Black, M., ed., The Importance of Language, Englewood Cliffs 1962.
Imperialismus Heute, Berlin 1965.

Ischreyt, H., Studien zum Verhältnis von Sprache und Technik, Düsseldorf 1965.

Johnson, W., The Communication Process and General Semantic Principles, in: Schramm, Mass Communication . . .

Kambartel, F., Erfahrung und Struktur, Frankfurt/M. 1968.

ders. Ethik und Mathematik, Konstanz 1970 (unveröff. Manuskript)

Kamlah, W. und Lorenzen, P., Logische Propädeutik, Mannheim 1967.

Kant, I., Prolegomena zu einer jeden künftigen Metaphysik, die als Wissenschaft wird auftreten können, Hamburg 1965.

Katz, D., Psychological Barriers to Communication, in: Schramm, W. (ed.), Mass Communication, Urbana 1960, S. 316 ff.

Katz, D. und Schank, R. L., Social Psychology, New York 1947.

Klaus, G., Die Macht des Wortes, Berlin 1964.

Koppelmann, H. L., Nation, Sprache und Nationalismus, London 1956.

Lenk, K., ed., Ideologie, Neuwied und Berlin 1967.

Lewis, M. M., Language in Society, London 1947.

Lin Biao, Vorwort zur 2. Aufl. der Worte des Vorsitzenden Mao Tse-tung, Peking 1967.

Lipset, S. M., Soziologie der Demokratie, Neuwied und Berlin 1962.

Lorenz, K., und Mittelstraß, J., Die Hintergehbarkeit der Sprache, in: Kantstudien, 5/1967.

Lorenzen, P., Methodisches Denken, Frankfurt/M. 1968.

ders. Normative Logic and Ethics, Mannheim 1969.

Luckmann, Th., Soziologie der Sprache, in: Handbuch der empirischen Sozialforschung, ed. König, R., Bd. II, Stuttgart 1969.

Lübbe, H., Hegels Kritik der politisierten Gesellschaft, in: Schweizer Monatshefte, Zürich 1967 (47).

ders. Der Streit um Worte, in: Reihe Bochumer Universitätsreden, Bochum 1967.

Maccoby, E. E., Newcomb, Th. M., Hartley, E. L., (eds.), Readings in Social Psychology, New York 1958.

Malcolm, N., Wittgensteins ‚Philosophische Untersuchungen', in: Über Ludwig Wittgenstein, Frankfurt 1968.

Malinowski, B., The Problem of Meaning in Primitive Languages, in: Ogden and Richards, The Meaning...

Maletzke, G., Psychologie der Massenkommunikation, Hamburg, 1963.

Mandelbaum, D. G. (ed.), Selected Writings of Edward Sapir, Berkeley and Los Angeles 1949.

Mannheim, K., Ideologie und Utopie, Frankfurt/M. 1952.

Marcuse, H., Der Eindimensionale Mensch, Neuwied und Berlin 1967.

Martinet, A., Grundzüge der allgemeinen Sprachwissenschaft, Stuttgart 1963.

Marx, K., Thesen über Feuerbach, in: Marx/Engels, Werke Bd. III. Berlin 1962.

ders. Zur Kritik der politischen Ökonomie in: Marx/Engels, Werke Bd. XII, Berlin 1962.

Mayer, K., Cultural Pluralism and Linguistic Equilibrium in Switzerland, in: American Sociological Review, 16/1951, S. 157—163.

Meillet, A., How Words Change their Meaning, in: Parsons, T., et al. (eds.), Theories of Society: Foundations of Modern Sociological Theory, New York 1961.

Meerloo, A. M., Conversation and Communication: A Psychological Inquiry into Language and Human Relation, New York 1952.

Miller, G. A., Language and Communication, New York 1963.

Mills, C. W., Die amerikanische Elite, Hamburg 1962.

ders. Kritik der soziologischen Denkweise, Neuwied u. Berlin 1963.

Morris, Ch., Signs, Language and Behaviour, New York 1955.

Moser, H., Sprachliche Folgen der politischen Teilung Deutschlands, Düsseldorf 1962.

ders. Sprache — Freiheit oder Lenkung, Mannheim 1967.

Naess, A., Communication and Argument, Oslo 1966.

Neubert, A., Semantischer Positivismus in den USA, Halle 1962.

Oevermann, U., Sprache und soziale Herkunft, Berlin 1969.

ders. Schichtspezifische Formen des Sprachverhaltens und ihr Einfluß auf die kognitiven Prozesse, in: Deutscher Bildungsrat. Gutachten u. Studien der Bildungskommission, Stuttgart 1969.

Ogden, C. K., and Richards, J. A. (eds.), The Meaning of the Meaning, London 1953 (1. Aufl. 1923).

Orwell, G., 1984, Zürich 1950.

Parry, J., Psychology of Human Communication, London 1967.

Platte, H., Werbung oder Information? Zur Sprache moderner Propaganda, in: Sprache im technischen Zeitalter, Stuttgart 1963 (7).

Porzig, W., Wunder der Sprache, Bern 1964.

Reimann, H., Kommunikationssysteme, Tübingen 1968.

Robinson, R., Definition, London 1954.

Rothenburg, H., Spricht unsere Publizistik den Arbeiter an? Berlin 1958.

Rüschemeyer, I., Ergebnisse der soziologischen Vorurteilsforschung, in: Überwindung von Vorurteilen, ed. Fr. Eb. St., Hamburg 1960.

de Saussure, F., Grundfragen der allgemeinen Sprachwissenschaft, Berlin-Leipzig 1931.

Schatzmann, L., and Strauss, A., Social Class and Modes of Communication, in Am. Journ. of Soc., 60/1955, S. 329—338.

Schmetterer, L., Sprache und Informationstheorie, in: Sprache und Wissenschaft, Göttingen 1960.

Schöfer, E., Die Sprache im Dienst des modernen Staates, in: Sprache im technischen Zeitalter, 7/1963, S. 615—633.

Schramm, W., Mass Communication, Urbana 1960.

Schumpeter, J. A., Kapitalismus, Sozialismus und Demokratie, Bern 1950.

Schütz, A., Symbol, Reality and Society, in: Bryson et al. eds., Symbols ...

Shannon, C. E. and Weaver, W., The Mathematical Theory of Communication, Urbana 1949.

Smith, A. G., Communication and Culture, New York 1966.

Sodhi, K. S., Urteilsbildung im sozialen Kraftfeld, Göttingen 1953

de Sola Pool, I. ed., Trends in Content Analysis, Urbana 1959.

Sommerfelt, A., Structures Linguistiques et Structures des Groupes Sociaux, in: Diogène 51/1965.

Spittler, G., Norm und Sanktion. Untersuchungen zum Sanktionsmechanismus, Olten 1967.

Stegmüller, W., Hauptströmungen der Gegenwartsphilosophie, Stuttgart 1965.

Stevenson, Ch. L., Ethics and Language, New Haven 1944.

Strauss, A., Spiegel und Masken, Frankfurt/M. 1968.

Strawson, P. F., Bedeuten, in: Sprache und Analysis, ed. Bubner, R., Göttingen 1968.

Thomas, W. I., Person- und Sozialverhalten, Neuwied und Berlin 1965.

Vendryes, J., Language, New York 1925.

Waismann, F., Verifizierbarkeit, in: Sprache und Analysis ed. Bubner, R., Göttingen 1968, S. 154—169.

Weber, M., Wirtschaft und Gesellschaft, Köln und Berlin 1964.

Wein, H. Sprache und Wissenschaft, in: Sprache und Wissenschaft. Göttingen 1960.

Whatmough, J., Language: A Modern Synthesis, New York 1957.

Whorf, B. L., Sprache, Denken, Wirklichkeit. Reinbek 1963.

Winch, P., Die Idee der Sozialwissenschaft und ihr Verhältnis zur Philosophie, Frankfurt 1966.

Wittgenstein, L., Philosophische Untersuchungen, Frankfurt/M. 1967.

Personenregister

Sachregister